bibliolycée

Le Tartuffe ou l'Imposteur

Molière

Notes, questionnaires et synthèses
par Pascale Montupet,
docteur ès lettres,
professeur au lycée Stanislas (Paris)

Conseiller éditorial : Romain LANCREY-JAVAL

Sommaire

ISBN : 978-2-1-168537-7

www.hachette-education.com

Le Tartuffe ou la comédie de l'imposture au XVIIe siècle

Annexes

Molière, plume à la main.

PRÉSENTATION

1664. Le parti dévot a la confiance de la reine Anne d'Autriche et sert les intérêts du Pape. Et Molière ose faire rire le Roi à ses dépens… Son *Tartuffe* nous présente le huis clos d'une famille de la grande bourgeoisie, déstabilisée par la présence d'un directeur de conscience – Tartuffe – que s'est choisi le chef de famille, Orgon.
Pour Orgon et sa mère, un modèle de dévotion, ce Tartuffe ; pour les autres, c'est-à-dire le reste de la famille, un bel imposteur ! Dans cette atmosphère de discorde, Orgon s'entête et, aveuglé, s'entiche de son Tartuffe au point de lui offrir sa fille, son héritage… et sa femme, Elmire, si cette dernière n'éveillait pas tant la concupiscence du dévot personnage. Le voilà démasqué mais il est désormais maître des lieux. Comment faire ? Nul doute que le Prince saura faire justice !
Le Tartuffe ou l'Imposteur reste à la Comédie-Française la pièce du répertoire la plus jouée depuis sa création. Elle fut également celle qui causa le plus de soucis à son auteur : trois versions, la menace du bûcher et cinq années d'une âpre lutte contre la « cabale des dévots ».
Et aujourd'hui ?

DUCROISY.
dans le rôle de Tartuffe.

Aujourd'hui, *Le Tartuffe* que nous lisons n'est pas celui qui encourut le blâme. En effet, nous raisonnons autrement que les contemporains de Molière sur une pièce du procès qui n'est pas authentique.
Dès lors, pourquoi lire *Le Tartuffe* ? Tout d'abord parce que toute interdiction suscite une instinctive séduction ; ensuite parce que cette pièce nous invite à réfléchir au pouvoir de la censure ; enfin pour le plaisir, celui de savourer une langue claire, concise, en un mot, magnifique.

Molière, dramaturge au siècle de Louis XIV

Molière, ou la dévotion du théâtre

Comédien ou rien

À retenir

Molière
Jean-Baptiste Poquelin, né en 1622, devient Molière, comédien, auteur et directeur de l'Illustre-Théâtre en 1643.

Quand naît son premier fils, Jean Poquelin, marchand tapissier, futur tapissier du Roi, se plaît à penser que sa charge aura un successeur… Le 15 janvier 1622, l'enfant est baptisé Jean-Baptiste à l'église de Saint-Eustache à Paris. Marie Cressé, sa mère, le laisse dix ans plus tard orphelin. En 1639, le lycéen de l'ancien collège jésuite de Clermont (l'actuel lycée Louis-Le-Grand), devient étudiant en droit. Pour devenir magistrat ? Tapissier du Roi ? Point du tout ! Car sur le Pont-Neuf règne le fameux comédien italien Tibério Fiorelli, dit Scaramouche, que Jean-Baptiste a couru applaudir dès qu'il a pu, tout comme il s'est rendu à l'Hôtel de Bourgogne. Le jeune homme désormais

Le Pont-Neuf, bateleurs et échoppes. (Peintre anonyme, 1669.)

avocat – mais sans cause – fréquente assidûment des voisins comédiens, les Béjart, et joue même parfois la comédie. Ah, quel plaisir de jouer la comédie ! Quel métier aussi ! C'est dit : Jean-Baptiste Poquelin sera comédien. Le 30 juin 1643, il fonde avec les Béjart – Joseph, Madeleine et Geneviève – la Société de l'Illustre-Théâtre. Cette association, placée sous l'égide de Molière, le pseudonyme que s'est donné Jean-Baptiste le 28 juin 1646, compte, outre les Béjart, six comédiens et est dotée d'un privilège d'État. Le voilà directeur de troupe.

Une vie de saltimbanque

Diriger une troupe attire bien des ennuis. Après un emprisonnement pour dettes en 1645, Molière doit quitter la capitale pour une errance dans les provinces françaises : elle durera treize ans... Treize années de tréteaux, à la merci des humeurs du public mais aussi à l'écoute des dialectes et particularismes français que le dramaturge rendra vivants dans ses pièces. Au cours de ses tribulations, il bénéficie de la protection des Grands, dont le prince de Conti, gouverneur de la province du Languedoc. Grâce à ce dernier, Molière représente avec succès à Lyon, en 1655, sa première comédie *L'Étourdi* et se lie aux comédiens italiens de la *commedia dell' arte**. Mais la conversion au jansénisme du prince de Conti en 1657 met fin à sa protection. L'Illustre-Théâtre regagne alors la capitale.

Le dramaturge* du Roi

Gloire...

En 1658, Molière joue au vieux Louvre *Nicomède* et *Le Docteur amoureux*. Parmi les spectateurs se trouve le Roi.

À retenir

Le dramaturge du Roi
Molière saltimbanque devient dramaturge du Roi.
La troupe de l'Illustre-Théâtre devient « Troupe de Monsieur ».

* *Cf.* Lexique.

Enthousiasmé, il accorde une pension de 300 livres à l'Illustre-Théâtre qui devient « Troupe de Monsieur ». Il lui attribue également la salle du Petit-Bourbon. Après sa démolition, il octroie à Molière en 1661 la salle du Palais-Royal que le dramaturge partage avec ses amis retrouvés, les comédiens italiens.
L'auteur crée désormais en toute sécurité matérielle – il faut noter que Molière renonçant à la boutique de son père ne renonça jamais au titre, car le titre permettait l'accès à la Cour, l'accès aux Grands… – et attire un public aussi croissant qu'enthousiaste. Jours dorés pour l'auteur dont le Roi-Soleil accepte d'être le parrain du premier fils, Louis, en 1664.

… et déboires

Après le succès des premières farces* : *Sganarelle ou le Cocu imaginaire* (1660) et *L'École des maris* (1661), sa première grande comédie : *L'École des femmes* jouée en 1662, marque le début de ses difficultés. Que le « farceur » ne dépasse pas les frontières de la farce ! Qu'il se garde bien de débusquer les aspirations politiques des Grands soutenus par l'Église et la Reine mère Anne d'Autriche ! Si « *le principe artistique de Molière : plaire par la vérité, arracher tous les masques et dénoncer tous les mensonges* » (Jacques Copeau) plaît au Roi, il déplaît à ceux qui en sont la cible. Traqués, ces derniers attaquent violemment Molière.
Sa lutte contre la cabale des dévots dure cinq longues années malgré l'appui du Roi. Seul son troisième « *Tartuffe ou l'Imposteur* » (1669) sera autorisé sur la scène parisienne ! Répression cruelle mais l'auteur continue d'éblouir le public parisien en lui offrant *Dom Juan* en 1665, *Le Misanthrope* en 1666, *L'Avare*, *Amphitryon* et *George Dandin* en 1668.

À retenir

Des ennemis
L'École des femmes marque en 1662 le premier grand succès de Molière et le début de ses ennuis. La cabale contre *Le Tartuffe* durera 5 ans.

* *Cf.* Lexique.

La fin d'un saltimbanque de génie

Amertume et exclusion

Mais le dramaturge sort amer du combat qu'il a dû mener contre ses ennemis. Depuis 1665, sa santé n'a cessé de se détériorer, tout comme sa vie privée ! Après les calomnies que lui a valu en 1662 son mariage avec Armande Béjart, de vingt ans sa cadette, c'est maintenant la conduite très libre de la jeune femme qui le tourmente. De plus, les commandes pour les divertissements royaux ne cessent d'affluer et l'épuisent. Mais abandonné par le Roi qui lui préfère Lully, Molière meurt à l'issue de la quatrième représentation du *Malade imaginaire*, le 16 février 1673. Dans sa biographie du dramaturge, Jean Leonor Le Gallois de Grimarest, contemporain de Molière, note que ce dernier ne put recevoir les derniers sacrements : seules deux religieuses l'assistèrent en ces derniers instants. L'Église ne lui pardonnait pas son libre arbitre.

À retenir

Mort de Molière
Molière meurt en 1673 après la 4e représentation du *Malade imaginaire*.

Génial Molière

Le génie et la fièvre créatrice ne quittèrent jamais Molière. Si la portée satirique de *L'Avare* et des *Femmes savantes* (1672) s'était faite plus discrète et avait marqué un retour aux procédés farcesques, les comédies-ballets du *Bourgeois gentilhomme* (1670) et du *Malade imaginaire* (1673) ont exulté de la jubilation théâtrale et musicale du dramaturge. L'auteur sut combler non seulement son public mais aussi ses comédiens. Car avant sa mort, Molière, directeur de troupe, leur avait donné répertoire et constitution. Outre une subvention régulière, il avait obtenu pour eux une pension de retraite. En 1679, les comédiens français devinrent propriétaires de l'hôtel Guénégaud. Les fondements juridiques et administratifs de l'actuelle Comédie-Française étaient posés.

À retenir

Molière, fondateur de la Comédie-Française
En 1679, l'actuelle Comédie-Française est née.

La France de Louis XIV, le Roi-Soleil

Contexte historique et politique

À retenir

Un seul pouvoir : royal
Louis XIV, monarque en 1661. Début d'un pouvoir absolu, à l'intérieur comme à l'extérieur.

À l'époque de Molière, la France offre au reste de l'Europe l'exemple d'un pays qui se résume en une devise « *Soli soli soli* » (à moi seul soleil de la Terre) et trois termes : éclat, pouvoir, gloire. Ces trois mots désignent les composantes de tout État : la politique extérieure et la politique intérieure.

À l'extérieur, Louis XIV guerroie pour affirmer la toute-puissance française. Il mène en dix ans deux campagnes importantes : celle des Flandres et celle de Hollande. L'Europe, lasse après la prise de Maestricht en 1673, fera front contre le Roi-Soleil.

À l'intérieur, l'échec de la deuxième Fronde (1650-1653) – celle des Princes – met un terme à la puissance militaire des Grands. Le monarque prend soin de finir d'installer l'absolutisme en 1661 par le truchement de Colbert. Au centre de la machine administrative se trouvent le Roi et la Cour. Louis XIV développe une mystique de l'État que manifeste la codification extrême de l'étiquette.

Une telle pratique de l'État insupporte à un autre pouvoir : le pouvoir papal. Quoique installé à Rome, il a des émissaires dans le royaume de France. L'absolutisme divin dont se réclame le Roi lui est concédé par le Pape, représentant de Dieu sur Terre. Or, Louis XIV montre une indépendance insolente. Il encourage l'Église gallicane (les catholiques de France), refuse d'accueillir les tribunaux de l'Inquisition sur son territoire, s'oppose à l'exaltation et à l'extrémisme religieux comme en témoignent les persécutions contre les jansénistes... bien des incartades qui méritent punition. Rome travaille donc à affaiblir le pouvoir royal en soutenant tant les jésuites que le parti dévot des « Frères » de la Compagnie du Saint-Sacrement de l'Autel (voir « cabale des dévots », p. 224).

Contexte artistique

Au « *Soli, soli, soli* » répond le « Tel est notre bon plaisir » qui pourrait résumer la situation littéraire et artistique de la France de Louis XIV. Par chance, ce Roi célèbre a compris que sa gloire serait d'autant plus grande qu'il encouragerait et protégerait artistes et gens de lettres. Épris de faste et de grandeur, Louis XIV recherche l'éclat tant en architecture qu'en peinture et en littérature.

À retenir

Le mécénat royal
La peinture, la sculpture et l'architecture magnifient le pouvoir royal (un symbole : Versailles).

En architecture

Après la construction dans la première moitié du siècle du palais du Luxembourg, du Palais-Royal et de la chapelle de la Sorbonne, Louis XIV rêve d'un palais grandiose et en fixe le lieu à Versailles. Il distingue trois artistes de qualité : Jules Hardouin-Mansart, Le Vau et Le Nôtre. Les deux premiers ont en charge l'édifice, le dernier, les jardins. Le palais, modèle d'équilibre, ne sera achevé qu'en 1695 !

En peinture

La peinture avait déjà offert ses plus illustres représentants avant l'avènement de Louis XIV : Le Lorrain (1600-1682), Nicolas Poussin (1594-1665), Eustache Le Sueur (1616-1655) et Philippe de Champaigne (1602-1674).

Le style Louis XIV nous a laissé les noms de Charles Le Brun (1619-1690), des frères Le Nain et de Pierre Mignard (1612-1695) auquel nous devons le portrait de son ami Molière qui orne le grand salon de la Comédie-Française.

En littérature

À l'époque de Molière, la littérature est étroitement liée à la société et très surveillée. L'écrivain se doit de plaire à la Cour, c'est-à-dire au Roi, sans l'approbation duquel il peut ranger sa plume. À la menace de cette première censure s'en ajoute une seconde : celle de l'Église, car le conflit qui oppose pouvoir papal et pouvoir royal n'épargne pas les écrivains.

À retenir

Littérature et pouvoir
Le Roi approuve l'éclat du baroque et applique la censure à sa guise.

Lorsque Louis XIV prend officiellement le pouvoir en 1661, s'est développé en France le courant baroque, tout d'éclat et d'apparat, de mouvement et d'exubérance. La vision qu'il propose du monde sert la fantaisie d'un roi de vingt-trois ans, avide de divertissements tout autant que de ferveur religieuse. Les écrits de Saint-François de Sales tentent donc de concilier avec enthousiasme monde et spiritualité. Le style de *l'Introduction à la vie dévote* (1608) et du *Traité de l'amour de Dieu* (1616) servira de combustible incandescent à la concupiscence de Tartuffe (acte III, scène 3).

Les motifs baroques du miroir, de l'éphémère et du masque sont plus immédiatement accordés au goût d'un roi épris des apparences. Célébrés par les jeux d'eau de Versailles et les reflets de la galerie des glaces, ils inspirent le théâtre de Molière, que ce soit dans la fuite sans fin que Dom Juan entreprend de lui-même ou dans le deuxième titre du premier *Tartuffe, l'Hypocrite* (1664), terme d'origine grecque qui signifie « acteur ».

L'âge d'or du théâtre

Des dramaturges de génie...

L'éclat royal ne saurait trouver ambassadeur plus efficace que le théâtre. Pierre Corneille (1606-1684), Jean Racine (1639-1699) et Molière (1622-1673) dominent la scène. L'œuvre de Corneille, comique à ses débuts et avec succès, comme en témoigne *Mélite* (1629), magnifie l'esthétique baroque dans *Clitandre* (1630) et *L'Illusion comique* (1636). Mais l'année suivante marque le début du grand théâtre cornélien axé sur le conflit passion/raison avec *Le Cid* (1637) et sur les conflits de pouvoir entre les Grands et le Roi avec *Horace* (1640) et *Cinna* (1641).

Le théâtre de Racine centre principalement l'intrigue sur l'aspect maudit de toute passion et sur son caractère coupable porté à son paroxysme dans *Phèdre* (1677). De fait, la vision de la condition humaine que ces deux dramaturges proposent résulte de la formation que chacun a reçue : Corneille manifeste un optimisme jésuite auquel s'oppose le pessimisme janséniste de Racine.

Molière préfère le juste milieu de l'« honnête homme » et fait triompher la comédie. Tendre avec le genre humain, il vise aussi bien à divertir le public et le Roi par ses critiques des travers humains (*Le Misanthrope*, 1666 ; *L'Avare*, 1668) qu'à servir les intérêts de ce dernier en dénonçant ses ennemis dans ses grandes comédies, notamment dans *L'École des femmes* (1662) et *Le Tartuffe* (dernière version de 1669). Il ne faudrait cependant pas conclure à une inspiration bourgeoise de Molière car comme le remarque Paul Bénichou dans son ouvrage *Morales du grand siècle* : « *Il écrivait pour la Cour et les Grands sans lesquels sa gloire eût été bien maigre* ». En

À retenir

Le théâtre glorifié
Trois génies : Corneille, Molière et Racine.

effet, ses comédies-ballets (*Le Bourgeois gentilhomme*, 1670; *Le Malade imaginaire*, 1673) loin d'être un « à-côté » de son œuvre *« établissent mieux que les grandes œuvres le contact de Molière avec ses contemporains »*.

... et des censeurs

À retenir

Une littérature codifiée
Académie et règles enferment l'écrivain dans une cage dorée.

Le théâtre jouit donc de la faveur royale: le Roi désigne Racine pour être son historiographe en 1673 et nomme la troupe de Molière « Troupe du Roi » en 1665. Mais faveur ne signifie pas liberté. Le goût se confond avec l'ordre et l'art a besoin de règles. Le Roi le veut. Ainsi sont créées l'Académie des belles-lettres en 1663, des sciences en 1666 et de l'architecture et de la musique en 1672. De tels principes trouvent leurs justifications dans les écrits critiques de *La Pratique du théâtre* (1657) de l'abbé d'Aubignac et les *Discours* et *Examens* (1660) de Corneille qui codifient la production théâtrale: règle des trois unités, des bienséances, des cinq actes. La poésie n'échappe pas à cette volonté normative qu'exprime Nicolas Boileau (1636-1711) dans son *Art poétique* (1674). L'écrivain est désormais considéré comme un artisan, détenteur d'un savoir-faire: il importe donc de lui montrer le chemin à suivre, d'apprécier sa compétence et de sanctionner ses infractions. La critique devient actrice à part entière de la littérature.

Contexte social

Passions et raison

Le théâtre met en scène les passions. Si le sujet, en exacerbant l'amour-propre et en exaltant le sentiment amoureux agrée au pouvoir royal, il déplaît au pouvoir spirituel papal. Ce dernier ne nie pas l'utilité d'une telle littérature mais l'objet de cet amour et de cette gloire est unique, c'est Dieu. Ainsi se développe une littérature catholique militante dont les les plus illustres plumes sont Bossuet (1627-1704), évêque de Meaux et Blaise Pascal (1623-1662). Les *Sermons* de Bossuet prêchent avec flamme et emphase l'humilité devant Dieu et il déchaîne les foudres célestes contre le théâtre dans ses *Maximes et réflexions sur la comédie* (1694). L'œuvre de Pascal propose une véritable méditation métaphysique et philosophique dans *Les Pensées* (1670).

Mais les défenseurs de la foi ne purent endiguer le rayonnement littéraire amoureux. Dès le début du siècle, celles qu'on appelait les précieuses avaient placé le sentiment amoureux au centre de réunions où chacun(e) lisait ses derniers vers et s'exerçait à fouiller les moindres recoins de l'âme. Dans leurs salons s'élaboreront les premiers romans authentiques où la psychologie et l'amour occupaient la première place. Certes les excès stylistiques encouragés dans le salon de Mademoiselle de Scudéry en 1652 deviendront les cibles faciles des *Précieuses ridicules* (1659) mais les précieuses œuvrent à la parution du chef-d'œuvre romanesque de Madame de La Fayette *La Princesse de Clèves* (1678). Écrit dans une langue équilibrée, le roman où dominent clarté et concision, voire abstraction, met en scène le modèle humain du XVIIe siècle : l'« honnête homme ».

L'honnête homme

Homme de Cour sans pour autant être toujours courtisan, l'honnête homme du XVIIe siècle plaît plus au prince qu'à l'Église. Dans un siècle de liberté surveillée et assujettie à la volonté de protéger un ordre, qu'il soit politique ou religieux, souffle néanmoins un vent d'indépendance qu'illustrent le libertinage et le cartésianisme. Le libertin (du latin *libertinus*: l'affranchi) n'admet aucune contrainte ni morale ni même intellectuelle, à l'exemple de Gassendi (1592-1655), chercheur dont la curiosité avide d'une vérité fondée sur les faits et l'expérience conduit à une attitude sceptique jugée trop matérialiste par le pouvoir religieux. Le doute méthodique que Descartes (1596-1650) ose prôner dans son *Discours de la méthode* (1635) et le trop grand crédit qu'il accorde à la raison vont à l'encontre du respect dû au dogme.

L'honnête homme du XVIIe siècle préfigure déjà l'esprit des Lumières du XVIIIe siècle. Molière lui-même croisa le chevalier de Méré et le chevalier de la Mothe le Vayer, ami de Gassendi, deux esprits forts auxquels les propos tenus par le Cléante du *Tartuffe* ou le Philinte du *Misanthrope* ne sont probablement pas étrangers. L'honnête homme séduit de plus par son caractère aimable sans être passionné, son esprit savant sans être pédant, son goût d'une mesure conforme à l'humaine nature selon l'opinion de Molière.

Pour éviter les travers de son temps enfin, il n'est pas de secours plus efficace que fréquenter les moralistes ou, à défaut, les lire: les *Maximes* (1662) de La Rochefoucauld, les *Fables* (1621-1695) de La Fontaine, ou *Les Caractères* (1645-1656) de La Bruyère sont de savoureux bréviaires de ce mondain avant Voltaire, de cet «élégant» autant socialement qu'intellectuellement.

À retenir

Littérature et société
L'honnête homme au XVIIe siècle est un homme de cour.

À l'école de Gassendi
Molière s'affirme comme un esprit fort, intellectuellement libre, préfigurant l'esprit des lumières.

Représentation théâtrale à Versailles, 1674. ▶

Molière en son temps

	Moments-clés de la vie de Molière	Événements historiques et culturels
1610		Règne de Louis XIII.
1622	Naissance de Jean-Baptiste Poquelin, le 15 janvier.	
1623		Corneille : *Mélite.*
1629		Fondation de la Compagnie du Saint-Sacrement de l'Autel par le duc de Ventadour.
1631	Jean-Baptiste est élève au collège de Clermont (actuel lycée Louis-le-Grand).	
1632		Condamnation de Galilée.
1634		Corneille : *La Place royale.*
1635		Fondation de l'Académie française.
1636		Corneille : *Le Cid.*
1638		Naissance de Louis XIV.
1640	Jean-Baptiste commence ses études de droit.	Descartes : *Discours de la méthode.* Jansénius : *L'Augustinus.* Corneille : *Horace.*
1641	Jean-Baptiste fréquente Gassendi.	Corneille : *Cinna, Polyeucte.*
1643	Jean-Baptiste abandonne la charge de tapissier du Roi, garde le titre et fonde avec les Béjart l'Illustre-Théâtre.	Mort de Louis XIII. Régence d'Anne d'Autriche aidée de Mazarin.
1644	Jean-Baptiste prend le pseudonyme de Molière.	
1645	Début des pérégrinations de l'Illustre-Théâtre dans les provinces de France. Protection du prince de Conti.	Gassendi : *La Philosophie d'Épicure.*
1648		Début des troubles de la Fronde.
1650		Fronde des Princes.

Chronologie

	Moments-clés de la vie de Molière	Événements historiques et culturels
1654		Sacre de Louis XIV.
1655	Première comédie de Molière jouée à Lyon : *L'Étourdi.*	Scarron : *Les Hypocrites*
1656		Pascal écrit les premières lettres des *Provinciales* pour défendre Port-Royal et les Jansénistes frappés par la bulle papale et le Roi.
1657		Abbé d'Aubignac : *Pratique du théâtre.*
1658	Molière de retour à Paris après la fin de la protection du prince de Conti (converti sur les instances de la Compagnie) joue devant le Roi et obtient la salle du Petit-Bourbon. Il se fixe à Paris.	
1659	Succès des *Précieuses ridicules.*	
1660		Corneille : *Discours* et *Examens*
1661	La troupe devenue « Troupe de Monsieur » partage le Palais-Royal avec Scaramouche.	Mort de Mazarin, règne effectif de Louis XIV. Le Vau commence ses travaux à Versailles (1661-1670).
1662	Molière épouse Armande Béjart. *L'École des femmes.* Début des difficultés de Molière avec les dévots.	
1663		Le Nôtre dessine les jardins de Versailles. Louis XIV fonde l'Académie des Belles Lettres.
1664	Louis XIV, parrain de l'enfant de Molière. 12 mai : *Tartuffe ou l'Hypocrite* est joué à Versailles devant le roi. 13 mai : interdiction de jouer la pièce en public. Août : premier placet au Roi pour *Tartuffe.*	Persécutions contre Port-Royal et les Jansénistes. Début de la cabale des dévots. Pamphlet de Pierre Roullé, curé de Saint-Barthélemy : *Le Roi glorieux au monde.* *Maximes* et réflexions diverses de La Rochefoucauld.

	Moments-clés de la vie de Molière	Événements historiques et culturels
1665	*Dom Juan.* Remous autour de *Dom Juan*. La troupe devient « Troupe du Roi ». Maladie de Molière.	
1666	*Le Misanthrope.*	Mort d'Anne d'Autriche.
1667	Molière est de nouveau malade. Interdiction totale du 2e « Tartuffe » : *Panulphe ou l'Imposteur.*	Début de la campagne de Louis XIV dans les Flandres. Siège de Lille. Racine : *Andromaque.* Corneille : *Attila.*
1668	*Amphitryon, L'Avare.*	Bossuet : *Oraison funèbre d'Anne de France.*
1669	5 février : *Le Tartuffe ou l'Imposteur* est enfin autorisé et joué en public. Imprimé chez J. Ribou le 23 mars (2e édition avec les placets le 6 juin). *Monsieur de Pourceaugnac.*	
1670	*Le Bourgeois gentilhomme.*	Racine : *Britannicus.*
1671	*Les Fourberies de Scapin.*	Racine : *Bérénice.* Enseignement du cartésianisme interdit à Paris. Lebrun décore Versailles.
1672	*Les Femmes savantes.*	Louis XIV décide de s'installer à Versailles. Guerre de Hollande et passage du Rhin.
1673	*Le Malade imaginaire* (le 10 février). 17 février : mort de Molière à la 4e représentation du *Malade imaginaire.* Enterrement sans sacrement, la tombe est profanée.	Corneille : *Pulchérie.* Premier opéra de Lully. Prise de Maestricht, coalition européenne contre le Roi. Fondation de l'Académie de musique.

Le Tartuffe ou l'Imposteur

Molière

Premier placet[1]

Présenté au Roi, sur la comédie du *Tartuffe* (1664)

Sire,

Le devoir de la comédie étant de corriger les hommes en les divertissant, j'ai cru que, dans l'emploi[2] où je me trouve, je n'avais rien de mieux à faire que d'attaquer par des peintures 5 ridicules les vices de mon siècle ; et comme l'hypocrisie sans doute en est un des plus en usage, des plus incommodes[3] et des plus dangereux, j'avais eu, Sire, la pensée que je ne rendrais pas un petit service à tous les honnêtes gens de votre royaume, si je faisais une comédie qui décriât les hypocrites, et mit en vue, 10 comme il faut, toutes les grimaces étudiées de ces gens de bien à outrance, toutes les friponneries couvertes de ces faux-monnayeurs en dévotion, qui veulent attraper les hommes avec un zèle contrefait et une charité sophistique[4].

Je l'ai faite, Sire, cette comédie, avec tout le soin, comme je 15 crois, et toutes les circonspections[5] que pouvait demander la délicatesse de la matière ; et pour mieux conserver l'estime et le respect qu'on doit aux vrais dévots, j'en ai distingué le plus que j'ai pu le caractère que j'avais à toucher[6] ; je n'ai point laissé d'équivoque, j'ai ôté ce qui pouvait confondre le bien avec le 20 mal, et ne me suis servi, dans cette peinture, que des couleurs

notes

1. **placet** : du mot latin *placet* qui signifie « il plaît, il est jugé bon ». Requête adressée à un roi ou à un ministre pour demander justice, se faire accorder une grâce. Le premier placet fut présenté au Roi, en août 1664, pour répondre au pamphlet de l'abbé Pierre Roullé, *Le Roi glorieux au monde*.
2. **emploi** : situation professionnelle. La troupe de Molière avait le statut officiel de « Troupe de Monsieur », frère du Roi.
3. **incommodes** : insupportables.
4. **sophistique** : fausse. Dans la Grèce antique (Ve - IVe siècles), les sophistes étaient des maîtres de rhétorique qui enseignaient l'art de parler et de vaincre un adversaire par le discours dans n'importe quelle situation, en usant d'arguments, apparemment justes, mais souvent trompeurs.
5. **circonspections** : précautions, retenue.
6. **toucher** : dépeindre.

expresses et des traits essentiels qui font reconnaître d'abord un véritable et franc hypocrite.

Cependant toutes mes précautions ont été inutiles. On a profité, Sire, de la délicatesse de votre âme sur les matières de religion, et
25 l'on a su vous prendre par l'endroit seul que vous êtes prenable, je veux dire par le respect des choses saintes. Les Tartuffes, sous main, ont eu l'adresse de trouver grâce auprès de Votre Majesté, et les originaux, enfin, ont fait supprimer la copie, quelque innocente qu'elle fût, et quelque ressemblante qu'on la trouvât.
30 Bien que ce m'ait été un coup sensible que la suppression de cet ouvrage, mon malheur pourtant était adouci par la manière dont Votre Majesté s'était expliquée sur ce sujet ; et j'ai cru, Sire, qu'elle m'ôtait tout lieu de me plaindre, ayant eu la bonté de déclarer qu'elle ne trouvait rien à dire dans cette comédie
35 qu'elle me défendait de produire en public.

Mais malgré cette glorieuse déclaration du plus grand roi du monde et du plus éclairé, malgré l'approbation encore de monsieur le légat[1] et de la plus grande partie de messieurs les prélats[2], qui tous, dans des lectures particulières que je leur ai faites de
40 mon ouvrage, se sont trouvés d'accord avec les sentiments de Votre Majesté, malgré tout cela, dis-je, on voit un livre composé par le curé de ...[3], qui donne hautement un démenti à tous ces augustes témoignages. Votre Majesté a beau dire, et monsieur le légat et messieurs les prélats ont beau donner leur jugement : ma
45 comédie, sans l'avoir vue, est diabolique, et diabolique mon cerveau ; je suis un démon vêtu de chair et habillé en homme, un libertin[4], un impie digne d'un supplice exemplaire. Ce n'est pas assez que le feu expie en public mon offense, j'en serais quitte à

notes

1. légat : ambassadeur. Il s'agit du cardinal Chigi, neveu du pape Alexandre VII, envoyé par ce dernier en France. Il appuyait Molière.
2. prélats : hauts dignitaires ecclésiastiques (cardinal, archevêque...).
3. curé de... : Pierre Roullé, curé de la paroisse Saint-Barthélemy.
4. libertin : au XVIIe siècle, libre penseur, esprit fort. Au sens moral, ce terme désigne une personne aux mœurs déréglées.

trop bon marché : le zèle charitable de ce galant homme[1] de bien
50 n'a garde de demeurer là : il ne veut point que j'aie de miséricorde auprès de Dieu, il veut absolument que je sois damné, c'est une affaire résolue.

Ce livre, Sire, a été présenté à Votre Majesté ; et sans doute elle juge bien elle-même combien il m'est fâcheux de me voir
55 exposé tous les jours aux insultes de ces messieurs ; quel sort me feront dans le monde de telles calomnies, s'il faut qu'elles soient tolérées, et quel intérêt j'ai enfin à me purger[2] de son imposture et à faire voir au public que ma comédie n'est rien moins que ce qu'on veut qu'elle soit. Je ne dirai point, Sire, ce que j'avais à
60 demander pour ma réputation, et pour justifier à tout le monde l'innocence de mon ouvrage : les rois éclairés comme vous n'ont pas besoin qu'on leur marque ce qu'on souhaite ; ils voient, comme Dieu, ce qu'il nous faut, et savent mieux que nous ce qu'ils nous doivent accorder. Il me suffit de mettre mes intérêts
65 entre les mains de Votre Majesté, et j'attends d'elle avec respect tout ce qu'il lui plaira d'ordonner là-dessus.

notes

1. **galant homme** : homme aux sentiments nobles.
2. **purger** : débarrasser, disculper.

Molière lisant *Le Tartuffe* chez Ninon de Lenclos, à l'hôtel de la rue des Tournelles. Tableau de Leyendecker.

Second placet[1]

PRÉSENTÉ AU ROI, DANS SON CAMP
DEVANT LA VILLE DE LILLE EN FLANDRE
(1667)

SIRE,

C'est une chose bien téméraire à moi que de venir importuner un grand monarque au milieu de ses glorieuses conquêtes ; mais, 70 dans l'état où je me vois, où trouver, Sire, une protection qu'[2]au lieu où je la viens chercher ? et qui puis-je solliciter, contre l'autorité de la puissance[3], qui m'accable, que la source de la puissance et de l'autorité, que le juste dispensateur des ordres absolus, que le souverain juge et le maître de toutes choses ?

75 Ma comédie, Sire, n'a pu jouir ici des bontés de Votre Majesté. En vain je l'ai produite sous le titre de *L'Imposteur*, et déguisé le personnage sous l'ajustement d'un homme du monde ; j'ai eu beau lui donner un petit chapeau, de grands cheveux, un grand collet[4], une épée, et des dentelles sur tout l'habit, mettre en plu- 80 sieurs endroits des adoucissements, et retrancher avec soin tout ce que j'ai jugé capable de fournir l'ombre d'un prétexte aux célèbres originaux du portrait que je voulais faire : tout cela n'a de rien servi. La cabale[5] s'est réveillée aux simples conjectures qu'ils ont pu avoir de la chose. Ils ont trouvé moyen de sur- 85 prendre des esprits qui, dans toute autre matière, font une haute

notes

1. Second placet : le deuxième placet fut présenté au Roi en août1667 par La Grange et La Thorillière qui étaient acteurs dans la troupe de Molière. *Tartuffe*, devenu *Panulphe ou l'Imposteur* dans sa deuxième version, avait été interdit de scène.
2. qu' : sinon.
3. puissance : celle de Lamoignon, premier président du Parlement de Paris qui suspend les représentations de la pièce le 6 août 1667.
4. collet : partie du vêtement qui entoure le cou. Le petit collet est porté par les clercs (gens d'Église qui n'avaient pas reçu l'ordination ou prononcé des vœux complets), le grand collet par les mondains. Panulphe n'est plus homme d'Église, il est devenu un homme du monde.
5. cabale : manœuvres secrètes contre quelqu'un ou quelque chose (ici, association de ceux qui se livrent à ces manœuvres : la Compagnie du Saint-Sacrement de l'Autel fondée en 1629, *cf.* pp. 224-226).

profession de ne se point laisser surprendre. Ma comédie n'a pas plus tôt paru, qu'elle s'est vue foudroyée par le coup d'un pouvoir[1] qui doit imposer du respect ; et tout ce que j'ai pu faire en cette rencontre, pour me sauver moi-même de l'éclat de cette
90 tempête, c'est de dire que Votre Majesté avait eu la bonté de m'en permettre la représentation, et que je n'avais pas cru qu'il fût besoin de demander cette permission à d'autres, puisqu'il n'y avait qu'elle seule qui me l'eût défendue.

Je ne doute point, Sire, que les gens que je peins dans ma comé-
95 die ne remuent bien des ressorts[2] auprès de Votre Majesté, et ne jettent dans leur parti[3], comme ils ont déjà fait, de véritables gens de bien, qui sont d'autant plus prompts à se laisser tromper, qu'ils jugent d'autrui par eux-mêmes. Ils ont l'art de donner de belles couleurs à toutes leurs intentions ; quelque mine qu'ils
100 fassent, ce n'est point du tout l'intérêt de Dieu qui les peut émouvoir ; ils l'ont assez montré dans les comédies qu'ils ont souffert[4] qu'on ait jouées tant de fois en public sans en dire le moindre mot. Celles-là n'attaquaient que la piété et la religion, dont ils se soucient fort peu ; mais celle-ci les attaque et les joue
105 eux-mêmes, et c'est ce qu'ils ne peuvent souffrir. Ils ne sauraient me pardonner de dévoiler leurs impostures aux yeux de tout le monde. Et sans doute on ne manquera pas de dire à Votre Majesté que chacun s'est scandalisé de ma comédie. Mais la vérité pure, Sire, c'est que tout Paris ne s'est scandalisé que de la
110 défense qu'on en a faite, que les plus scrupuleux en ont trouvé la représentation profitable, et qu'on s'est étonné que des personnes d'une probité si connue aient eu une si grande déférence

notes

1. **pouvoir** : celui de l'Église en la personne de l'archevêque Beaumont de Hardouin de Péréfixe, ancien précepteur de Louis XIV. Le 11 août 1667, il interdit toutes les représentations publiques ou privées de *Panulphe*.

2. **ressorts** : machinations plus ou moins secrètes destinés à faire réussir une intrigue.

3. **parti** : clan, association de personnes unies par des intérêts communs (ici, la Compagnie du Saint-Sacrement de l'Autel, citée plus haut).

4. **souffert** : supporté, toléré.

pour des gens qui devraient être l'horreur de tout le monde et sont si opposés à la véritable piété dont elles font profession.
115 J'attends avec respect l'arrêt que Votre Majesté daignera prononcer sur cette matière ; mais il est très assuré, Sire, qu'il ne faut plus que je songe à faire des comédies si les Tartuffes ont l'avantage, qu'ils prendront droit par là de me persécuter plus que jamais, et voudront trouver à redire aux choses les plus inno-
120 centes qui pourront sortir de ma plume. Daignent vos bontés, Sire, me donner une protection contre leur rage envenimée ; et puissé-je, au retour d'une campagne si glorieuse, délasser Votre Majesté des fatigues de ses conquêtes, lui donner d'innocents plaisirs après de si nobles travaux, et faire rire le monarque qui
125 fait trembler toute l'Europe !

Troisième placet[1]

Présenté au Roi
(1669)

Sire,

Un fort honnête médecin[2], dont j'ai l'honneur d'être le malade, me promet et veut s'obliger par-devant notaires de me faire vivre encore trente années, si je puis lui obtenir une grâce de 130 Votre Majesté. Je lui ai dit, sur sa promesse, que je ne lui demandais pas tant, et que je serais satisfait de lui pourvu qu'il s'obligeât de ne me point tuer. Cette grâce, Sire, est un canonicat[3] de votre chapelle royale de Vincennes, vacant par la mort de…

Oserais-je demander encore cette grâce à Votre Majesté, le 135 propre jour de la grande résurrection de *Tartuffe*, ressuscité par vos bontés ? Je suis, par cette première faveur, réconcilié avec les dévots ; et je le serais, par cette seconde, avec les médecins. C'est pour moi sans doute trop de grâces à la fois ; mais peut-être n'en est-ce pas trop pour Votre Majesté ; et j'attends, avec un peu 140 d'espérance respectueuse, la réponse de[4] mon placet.

notes

1. **Troisième placet** : il fut présenté au Roi le 5 février 1669 après la représentation ce même jour de *Tartuffe*. C'est un placet triomphal.
2. **médecin** : monsieur de Mauvillain, doyen de la Faculté. C'est pour son fils que Molière sollicite un canonicat.
3. **canonicat** : dignité, office et bénéfice de chanoine.
4. **de** : à.

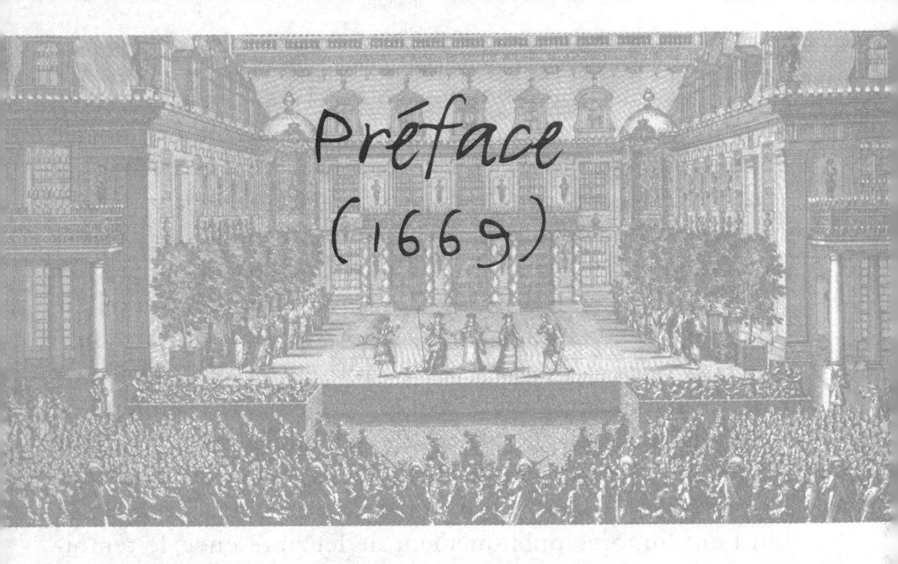

Préface (1669)

Voici une comédie dont on a fait beaucoup de bruit, qui a été longtemps persécutée ; et les gens qu'elle joue ont bien fait voir qu'ils étaient plus puissants en France que tous ceux que j'ai joués jusques ici. Les marquis, les précieuses[1], les cocus et les médecins ont souffert doucement[2] qu'on les ait représentés, et ils ont fait semblant de se divertir, avec tout le monde, des peintures que l'on a faites d'eux ; mais les hypocrites[3] n'ont point entendu raillerie ; ils se sont effarouchés d'abord, et ont trouvé étrange que j'eusse la hardiesse de jouer leurs grimaces, et de vouloir décrier un métier dont tant d'honnêtes gens se mêlent. C'est un crime qu'ils ne sauraient me pardonner ; et ils se sont tous armés contre ma comédie avec une fureur épouvantable. Ils n'ont eu garde de l'attaquer par le côté qui les a

notes

1. **précieuses** : mot qui désigne des femmes qui, au XVIIe siècle, adoptèrent une attitude raffinée envers les sentiments ainsi qu'un langage recherché. Elles créèrent des salons et cercles littéraires (entre autres le salon de mademoiselle de Scudéry et l'Hôtel de Rambouillet). Molière les met en scène dans *Les Précieuses ridicules*, en 1659.
2. **doucement** : sans s'indigner.
3. **hypocrites** : du grec *upocritès* qui signifie « comédien » ; ceux qui jouent, qui trompent ; fourbes et imposteurs. Molière désigne ici les directeurs de conscience.

blessés ; ils sont trop politiques pour cela, et savent trop bien
15 vivre pour découvrir le fond de leur âme. Suivant leur louable
coutume, ils ont couvert leurs intérêts de la cause de Dieu ; et *Le Tartuffe*, dans leur bouche, est une pièce qui offense la piété. Elle est, d'un bout à l'autre, pleine d'abominations, et l'on n'y trouve rien qui ne mérite le feu. Toutes les syllabes en sont impies ; les
20 gestes même y sont criminels ; et le moindre coup d'œil, le moindre branlement de tête, le moindre pas à droite ou à gauche, y cache des mystères qu'ils trouvent moyen d'expliquer à mon désavantage. J'ai eu beau la soumettre aux lumières de mes amis, et à la censure de tout le monde : les corrections que
25 j'ai pu faire, le jugement du Roi et de la Reine, qui l'ont vue, l'approbation des grands princes[1] et de messieurs les ministres[2], qui l'ont honorée publiquement de leur présence, le témoignage des gens de bien[3], qui l'ont trouvée profitable, tout cela n'a de rien servi. Ils n'en veulent point démordre ; et tous les
30 jours encore, ils font crier en public des zélés indiscrets[4], qui me disent des injures pieusement et me damnent par charité.

Je me soucierais fort peu de tout ce qu'ils peuvent dire, n'était l'artifice qu'ils ont de me faire des ennemis que je respecte, et de jeter dans leur parti de véritables gens de biens, dont ils préviennent la
35 bonne foi, et qui, par la chaleur qu'ils ont pour les intérêts du Ciel[5], sont faciles à recevoir[6] les impressions qu'on veut leur donner. Voilà ce qui m'oblige à me défendre. C'est aux vrais dévots que je veux partout me justifier sur la conduite de ma comédie ; et je les conjure de tout mon cœur de ne point condamner les choses
40 avant que de les voir, de se défaire de toute prévention[7] et de ne point servir la passion de ceux dont les grimaces les déshonorent.

notes

1. **grands princes** : Monsieur, frère du roi, le prince de Condé, le duc d'Enghien.
2. **ministres** : chefs des grands services publics. Sous Louis XIV, Louvois ou Colbert.
3. **gens de bien** : Bossuet et Lamoignon.
4. **indiscrets** : bruyants.
5. **Ciel** : Dieu.
6. **sont faciles à recevoir** : reçoivent facilement.
7. **prévention** : préjugé.

Si l'on prend la peine d'examiner de bonne foi ma comédie, on verra sans doute que mes intentions y sont partout innocentes, et qu'elle ne tend nullement à jouer les choses que l'on doit
45 révérer, que je l'ai traitée avec toutes les précautions que demandait la délicatesse de la matière, et que j'ai mis tout l'art et tous les soins qu'il m'a été possible pour bien distinguer le personnage de l'hypocrite d'avec celui du vrai dévot. J'ai employé pour cela deux actes entiers à préparer la venue de mon scélérat.
50 Il ne tient pas un seul moment l'auditeur en balance ; on le connaît d'abord aux marques que je lui donne ; et d'un bout à l'autre il ne dit pas un mot, il ne fait pas une action qui ne peigne aux spectateurs le caractère d'un méchant homme, et ne fasse éclater celui du véritable homme de bien que je lui
55 oppose[1].

Je sais bien que pour réponse ces messieurs tâchent d'insinuer que ce n'est point au théâtre à parler de ces matières ; mais je leur demande, avec leur permission, sur quoi ils fondent cette belle maxime. C'est une proposition qu'ils ne font que supposer[2]
60 et qu'ils ne prouvent en aucune façon ; et sans doute il ne serait pas difficile de leur faire voir que la comédie[3], chez les Anciens, a pris son origine de la religion, et faisait partie de leurs mystères ; que les Espagnols, nos voisins, ne célèbrent guère de fête où la comédie ne soit mêlée ; et que, même parmi nous, elle doit
65 sa naissance aux soins d'une confrérie[4] à qui appartient encore aujourd'hui l'Hôtel de Bourgogne[5], que c'est un lieu qui fut donné pour y représenter les plus importants mystères de notre

notes

1. **du véritable homme de bien que je lui oppose** : il s'agit de Cléante, le frère d'Orgon.
2. **supposer** : poser par hypothèse, sans fondement.
3. **comédie** : théâtre.
4. **confrérie** : la confrérie des Frères de la Passion, fondée en 1402 pour représenter « *quelque mystère que ce soit de la Passion ou de la Résurrection* ». Ils avaient le privilège exclusif des représentations théâtrales à Paris.
5. **Hôtel de Bourgogne** : salle de théâtre parisienne possédée jusqu'en 1599 par la confrérie des Frères de la Passion. Elle est ensuite cédée à Alexandre Hardy, spécialisé dans la tragédie. Sa troupe devient, en 1628, troupe royale.

foi ; qu'on en voit encore des comédies imprimées en lettres gothiques, sous le nom d'un docteur de Sorbonne[1] ; et, sans aller 70 chercher si loin, que l'on a joué de notre temps des pièces saintes de M. de Corneille[2], qui ont été l'admiration de toute la France.

Si l'emploi de la comédie est de corriger les vices des hommes, je ne vois pas pour quelle raison il y aura des privilégiés. 75 Celui-ci est, dans l'État, d'une conséquence bien plus dangereuse que tous les autres ; et nous avons vu que le théâtre a une grande vertu pour la correction. Les plus beaux traits d'une sérieuse morale sont moins puissants, le plus souvent, que ceux de la satire ; et rien ne reprend mieux la plupart des hommes 80 que la peinture de leurs défauts. C'est une grande atteinte aux vices que de les exposer à la risée de tout le monde. On souffre aisément des répréhensions[3], mais on ne souffre point la raillerie. On veut bien être méchant, mais on ne veut point être ridicule. On me reproche d'avoir mis des termes de piété dans la 85 bouche de mon Imposteur. Et pouvais-je m'en empêcher, pour bien représenter le caractère d'un hypocrite ? Il suffit, ce me semble, que je fasse connaître les motifs criminels qui lui font dire les choses, et que j'en aie retranché les termes consacrés, dont on aurait eu peine à lui entendre faire un mauvais usage. 90 Mais il débite au quatrième acte une morale pernicieuse[4]. Mais cette morale est-elle quelque chose dont tout le monde n'eût les oreilles rebattues ? Dit-elle rien de nouveau dans ma comédie ? Et peut-on craindre que des choses si généralement détestées fassent quelque impression dans les esprits, que je les rende 95 dangereuses en les faisant monter sur le théâtre, qu'elles reçoi-

notes

1. docteur de Sorbonne : allusion à Jehan Michel, docteur en médecine, auteur d'un *Mystère de la Résurrection.*
2. pièces saintes de M. de Corneille : Molière fait référence à deux tragédies, *Polyeucte* (1642) et *Théodore, vierge et martyre* (1645).
3. répréhensions : réprimandes.
4. pernicieuse : nuisible (allusion, ici, à la morale des casuistes, *cf.* pp. 222 et 248).

vent quelque autorité de la bouche d'un scélérat ? Il n'y a nulle apparence à cela ; et l'on doit approuver la comédie du *Tartuffe*, ou condamner généralement toutes les comédies.

C'est à quoi l'on s'attache furieusement[1] depuis un temps, et
100 jamais on ne s'était si fort déchaîné contre le théâtre[2]. Je ne puis pas nier qu'il n'y ait eu des Pères de l'Église qui ont condamné la comédie ; mais on ne peut pas me nier aussi qu'il n'y en ait eu quelques-uns qui l'ont traitée un peu plus doucement. Ainsi l'autorité dont on prétend appuyer la censure est détruite par ce
105 partage ; et toute la conséquence qu'on peut tirer de cette diversité d'opinions en des esprits éclairés des mêmes lumières, c'est qu'ils ont pris la comédie différemment, et que les uns l'ont considérée dans sa pureté, lorsque les autres l'ont regardée dans sa corruption et confondue avec tous ces vilains spectacles
110 qu'on a eu raison de nommer les spectacles de turpitude[3].

Et en effet, puisqu'on doit discourir des choses et non pas des mots, et que la plupart des contrariétés viennent de ne se pas entendre et d'envelopper dans un même mot des choses opposées, il ne faut qu'ôter le voile de l'équivoque et regarder ce
115 qu'est la comédie en soi, pour voir si elle est condamnable. On connaîtra sans doute que, n'étant autre chose qu'un poème ingénieux qui, par des leçons agréables, reprend les défauts des hommes, on ne saurait la censurer sans injustice. Et si nous voulons ouïr là-dessus le témoignage de l'Antiquité, elle nous dira
120 que ses plus célèbres philosophes ont donné des louanges à la comédie, eux qui faisaient profession d'une sagesse si austère, et qui criaient sans cesse après les vices de leur siècle ; elle nous fera voir qu'Aristote[4] a consacré des veilles au théâtre, et s'est donné

notes

1. **furieusement** : avec une extrême violence.
2. **contre le théâtre** : le théâtre était alors attaqué tant par Bossuet (1627-1704) que par le janséniste Nicole que par le prince de Conti, ancien protecteur de Molière.
3. **turpitude** : honte (expression de saint Augustin).
4. **Aristote** : allusion à la *Poétique* de ce philosophe grec (384-322 av. J.-C.).

le soin de réduire en préceptes l'art de faire des comédies ; elle
125 nous apprendra que de ses plus grands hommes, et des premiers en dignité, ont fait gloire d'en composer eux-mêmes, qu'il y en a eu d'autres qui n'ont pas dédaigné de réciter[1] en public celles qu'ils avaient composées, que la Grèce a fait pour cet art éclater son estime par les prix glorieux et par les superbes théâtres dont
130 elle a voulu l'honorer, et que, dans Rome enfin, ce même art a reçu aussi des honneurs extraordinaires : je ne dis pas dans Rome débauchée et sous la licence des empereurs, mais dans Rome disciplinée, sous la sagesse des consuls, et dans le temps de la vigueur de la vertu romaine.

135 J'avoue qu'il y a eu des temps où la comédie s'est corrompue. Et qu'est-ce que dans le monde on ne corrompt point tous les jours ? Il n'y a chose si innocente où les hommes ne puissent porter du crime, point d'art si salutaire dont ils ne soient capables de renverser les intentions, rien de si bon en soi qu'ils
140 ne puissent tourner à de mauvais usages. La médecine est un art profitable, et chacun la révère comme une des plus excellentes choses que nous ayons ; et cependant il y a eu des temps où elle s'est rendue odieuse, et souvent on en a fait un art d'empoisonner les hommes. La philosophie est un présent du Ciel ; elle
145 nous a été donnée pour porter nos esprits à la connaissance d'un Dieu par la contemplation des merveilles de la nature ; et pourtant on n'ignore pas que souvent on l'a détournée de son emploi, et qu'on l'a occupée publiquement à soutenir l'impiété. Les choses même les plus saintes ne sont point à couvert de la
150 corruption des hommes ; et nous voyons des scélérats qui, tous les jours, abusent de la piété, et la font servir méchamment aux crimes les plus grands. Mais on ne laisse pas pour cela de faire les distinctions qu'il est besoin de faire ; on n'enveloppe point, dans

note

1. **réciter** : dire à haute voix.

une fausse conséquence, la bonté des choses que l'on corrompt
155 avec la malice des corrupteurs ; on sépare toujours le mauvais usage d'avec l'intention de l'art ; et comme on ne s'avise point de défendre la médecine, pour avoir été bannie de Rome[1], ni la philosophie, pour avoir été condamnée publiquement dans Athènes[2], on ne doit point aussi vouloir interdire la comédie,
160 pour avoir été censurée en de certains temps. Cette censure a eu ses raisons, qui ne subsistent point ici ; elle s'est renfermée dans ce qu'elle a pu voir ; et nous ne devons point la tirer des bornes qu'elle s'est données, l'étendre plus loin qu'il ne faut, et lui faire embrasser l'innocent avec le coupable. La comédie qu'elle a eu
165 dessein d'attaquer n'est point du tout la comédie que nous voulons défendre. Il se faut bien garder de confondre celle-là avec celle-ci. Ce sont deux personnes de qui les mœurs sont tout à fait opposées ; elle n'ont aucun rapport l'une avec l'autre que la ressemblance du nom ; et ce serait une injustice épouvantable
170 que de vouloir condamner Olimpe qui est femme de bien, parce qu'il y a eu une Olimpe qui a été une débauchée. De semblables arrêts, sans doute, feraient un grand désordre dans le monde. Il n'y aurait rien par là qui ne fût condamné ; et puisque l'on ne garde point cette rigueur à tant de choses dont on abuse
175 tous les jours, on doit bien faire la même grâce à la comédie, et approuver les pièces de théâtre où l'on verra régner l'instruction et l'honnêteté.

Je sais qu'il y a des esprits[3], dont la délicatesse[4] ne peut souffrir aucune comédie, qui disent que les plus honnêtes sont les plus
180 dangereuses, que les passions que l'on y dépeint sont d'autant plus touchantes qu'elles sont pleines de vertu, et que les âmes sont attendries par ces sortes de représentations. Je ne vois pas

notes

1. **Rome** : les Romains chassèrent d'Italie les Grecs et les médecins (Pline, *Histoire Naturelle,* livre V, chapitre 8).

2. **Athènes** : allusion à la condamnation du philosophe grec Socrate (470-399 av. J.-C.).

3. **esprits** : Pascal, Bossuet, les théologiens.

4. **délicatesse** : susceptibilité.

quel grand crime c'est que de s'attendrir à la vue d'une passion honnête ; et c'est un haut étage de vertu que cette pleine insen-
185 sibilité où ils veulent faire monter notre âme. Je doute qu'une si grande perfection soit dans les forces de la nature humaine ; et je ne sais s'il n'est pas mieux de travailler à rectifier et adoucir les passions des hommes, que de vouloir les retrancher entièrement. J'avoue qu'il y a des lieux qu'il vaut mieux fréquenter que le
190 théâtre ; et si l'on veut blâmer toutes les choses qui ne regardent pas directement Dieu et notre salut, il est certain que la comédie en doit être, et je ne trouve point mauvais qu'elle soit condamnée avec le reste. Mais supposé, comme il est vrai, que les exercices de la piété souffrent des intervalles et que les hommes
195 aient besoin de divertissement, je soutiens qu'on ne leur en peut trouver un qui soit plus innocent que la comédie. Je me suis étendu trop loin. Finissons par un mot d'un grand prince[1] sur la comédie du *Tartuffe*.

Huit jours après qu'elle eut été défendue, on représenta devant
200 la cour une pièce intitulée *Scaramouche ermite*[2], et le Roi, en sortant, dit au grand prince que je veux dire : « Je voudrais bien savoir pourquoi les gens qui se scandalisent si fort de la comédie de Molière ne disent mot de celle de *Scaramouche*. » À quoi le Prince répondit : « La raison de cela, c'est que la comédie de
205 *Scaramouche* joue le Ciel et la religion, dont ces messieurs-là ne se soucient point ; mais celle de Molière les joue eux-mêmes : c'est ce qu'ils ne peuvent souffrir[3]. »

notes

1. un grand prince : Condé, chez qui eut lieu la première représentation du *Tartuffe* en cinq actes.
2. Scaramouche ermite : canevas disparu de farce italienne. Selon Voltaire, elle mettait en scène un « *ermite vêtu en moine* » qui visitait de nuit une femme mariée en disant : « *ceci est pour mortifier la chair* ».
3. souffrir : tolérer.

Ducroisy dans le rôle de Tartuffe (Comédie-Française, 1668).

Personnages

MADAME PERNELLE, *mère d'Orgon*

ORGON, *mari d'Elmire*

ELMIRE, *femme d'Orgon*

DAMIS, *fils d'Orgon*

MARIANE, *fille d'Orgon et amante de Valère*

VALÈRE, *amant de Mariane*

CLÉANTE, *beau-frère d'Orgon*

TARTUFFE, *faux dévot*

DORINE, *suivante de Mariane*

M. LOYAL, *sergent*

UN EXEMPT

FLIPOTE, *servante de Mme Pernelle*

La scène est à Paris, dans la maison d'Orgon.

Scène 1

MADAME PERNELLE et FLIPOTE sa servante, ELMIRE, MARIANE, DORINE, DAMIS, CLÉANTE

passage analysé

MADAME PERNELLE

Allons, Flipote, allons, que d'eux je me délivre.

ELMIRE

Vous marchez d'un tel pas qu'on a peine à vous suivre.

MADAME PERNELLE

Laissez, ma bru[1], laissez, ne venez pas plus loin :
Ce sont toutes façons dont je n'ai pas besoin.

ELMIRE

5 De ce que l'on vous doit envers vous on s'acquitte.
Mais, ma mère, d'où vient que vous sortez si vite ?

note

1. **bru** : belle-fille.

MADAME PERNELLE

C'est que je ne puis voir tout ce ménage[1]-ci,
Et que de me complaire on ne prend nul souci.
Oui, je sors de chez vous fort mal édifiée :
10 Dans toutes mes leçons j'y suis contrariée,
On n'y respecte rien, chacun y parle haut,
Et c'est tout justement la cour du roi Pétaut[2].

DORINE

Si…

MADAME PERNELLE

Vous êtes, mamie[3], une fille suivante[4]
Un peu trop forte en gueule, et fort impertinente :
15 Vous vous mêlez sur tout de dire votre avis.

DAMIS

Mais…

MADAME PERNELLE

Vous êtes un sot en trois lettres, mon fils ;
C'est moi qui vous le dis, qui suis votre grand-mère ;
Et j'ai prédit cent fois à mon fils, votre père,
Que vous preniez tout l'air d'un méchant garnement,
20 Et ne lui donneriez jamais que du tourment.

MARIANE

Je crois…

MADAME PERNELLE

Mon Dieu, sa sœur, vous faites la discrette[5],

passage analysé

notes

1. ménage : désordre.
2. la cour du roi Pétaut : le roi Pétaut, roi des mendiants, était peu respecté par ses sujets. Madame Pernelle signifie ici que dans la maison de son fils règne l'anarchie.
3. mamie : mon amie ; se dit en parlant des servantes (familier).
4. fille suivante : demoiselle de compagnie.
5. discrette : réservée ; rime pour l'œil*.

Et vous n'y touchez pas, tant vous semblez doucette ;
Mais il n'est, comme on dit, pire eau que l'eau qui dort,
Et vous menez sous chape[1] un train[2] que je hais fort.

ELMIRE

25 Mais, ma mère…

MADAME PERNELLE

Ma bru, qu'il ne vous en déplaise,
Votre conduite en tout est tout à fait mauvaise ;
Vous devriez leur mettre un bon exemple aux yeux,
Et leur défunte mère en usait beaucoup mieux.
Vous êtes dépensière ; et cet état[3] me blesse,
30 Que vous alliez vêtue ainsi qu'une princesse.
Quiconque à son mari veut plaire seulement,
Ma bru, n'a pas besoin de tant d'ajustement[4].

CLÉANTE

Mais, madame, après tout…

MADAME PERNELLE

Pour vous, monsieur son frère,
Je vous estime fort, vous aime, et vous révère ;
35 Mais enfin, si j'étais de mon fils, son époux,
Je vous prierais bien fort de n'entrer point chez nous.
Sans cesse vous prêchez des maximes de vivre
Qui par d'honnêtes gens ne se doivent point suivre.
Je vous parle un peu franc ; mais c'est là mon humeur,
40 Et je ne mâche point ce que j'ai sur le cœur.

DAMIS

Votre monsieur Tartuffe est bien heureux sans doute…

passage analysé

notes

1. **sous chape** : en secret, sous cape. La cape couvrait la tête et le corps.
2. **train** : mode de vie tapageur.
3. **état** : toilette.
4. **ajustement** : parure.

MADAME PERNELLE

C'est un homme de bien, qu'il faut que l'on écoute ;
Et je ne puis souffrir sans me mettre en courroux[1]
De le voir querellé par un fou comme vous.

DAMIS

45 Quoi ? je souffrirai, moi, qu'un cagot[2] de critique
Vienne usurper céans[3] un pouvoir tyrannique,
Et que nous ne puissions à rien nous divertir[4],
Si ce beau monsieur-là n'y daigne consentir ?

DORINE

S'il le faut écouter et croire à ses maximes,
50 On ne peut faire rien qu'[5]on ne fasse des crimes ;
Car il contrôle tout, ce critique zélé[6].

MADAME PERNELLE

Et tout ce qu'il contrôle est fort bien contrôlé.
C'est au chemin du Ciel[7] qu'il prétend vous conduire,
Et mon fils à l'aimer vous devrait tous induire[8].

DAMIS

55 Non, voyez-vous, ma mère, il n'est père ni rien
Qui me puisse obliger à lui vouloir du bien :
Je trahirais mon cœur de parler d'autre sorte ;
Sur ses façons de faire à tous coups je m'emporte ;
J'en prévois une suite, et qu'avec ce pied-plat[9]
60 Il faudra que j'en vienne à quelque grand éclat.

passage analysé

notes

1. courroux : colère.
2. cagot : qui affecte une dévotion outrée et hypocrite.
3. céans : dans cette maison, ici.
4. à rien nous divertir : aucunement nous distraire.
5. rien qu' : rien sans que.
6. zélé : empressé.
7. au chemin du Ciel : vers Dieu.
8. induire : conduire, amener.
9. pied-plat : personne grossière (en référence aux paysans qui portaient des souliers sans talons hauts).

DORINE

Certes, c'est une chose aussi qui scandalise,
De voir qu'un inconnu céans s'impatronise[1],
Qu'un gueux[2] qui, quand il vint, n'avait pas de souliers
Et dont l'habit entier valait bien six deniers[3],
65 En vienne jusque-là que de se méconnaître,
De contrarier tout, et de faire le maître.

MADAME PERNELLE

Hé! merci de ma vie[4]! il en irait bien mieux,
Si tout se gouvernait par ses ordres pieux[5].

DORINE

Il passe pour un saint dans votre fantaisie:
70 Tout son fait[6], croyez-moi, n'est rien qu'hypocrisie.

MADAME PERNELLE

Voyez la langue!

DORINE

À lui, non plus qu'à son Laurent,
Je ne me fierais, moi, que sur un bon garant[7].

MADAME PERNELLE

J'ignore ce qu'au fond le serviteur peut être;
Mais pour homme de bien je garantis le maître.
75 Vous ne lui voulez mal et ne le rebutez
Qu'à cause qu'il vous dit à tous vos vérités.
C'est contre le péché que son cœur se courrouce[8],
Et l'intérêt du Ciel est tout ce qui le pousse.

passage analysé

notes

1. **s'impatronise**: s'établit en maître.
2. **gueux**: indigent, nécessiteux (argot ancien).
3. **deniers**: ancienne monnaie romaine puis française, valant la moitié d'un sou, soit un centime d'euro.
4. **merci de ma vie!**: Que Dieu ait pitié de ma vie! (Manière de jurer chez une femme du peuple.)
5. **pieux**: croyant fervent.
6. **Tout son fait**: tous ses actes, son comportement.
7. **garant**: personne qui se porte caution, qui recommande.
8. **se courrouce**: se met en colère.

DORINE

Oui ; mais pourquoi, surtout depuis un certain temps,
80 Ne saurait-il souffrir qu'aucun hante céans[1] ?
En quoi blesse le Ciel une visite honnête,
Pour en faire un vacarme à nous rompre la tête ?
Veut-on que là-dessus je m'explique entre nous ?
Je crois que de madame il est, ma foi, jaloux.

MADAME PERNELLE

85 Taisez-vous, et songez aux choses que vous dites.
Ce n'est pas lui tout seul qui blâme ces visites.
Tout ce tracas qui suit les gens que vous hantez[2],
Ces carrosses sans cesse à la porte plantés,
Et de tant de laquais le bruyant assemblage
90 Font un éclat fâcheux[3] dans tout le voisinage.
Je veux croire qu'au fond il ne se passe rien ;
Mais enfin on en parle, et cela n'est pas bien.

CLÉANTE

Hé ! voulez-vous, madame, empêcher qu'on ne cause ?
Ce serait dans la vie une fâcheuse chose,
95 Si pour les sots discours où l'on peut être mis,
Il fallait renoncer à ses meilleurs amis.
Et quand même on pourrait se résoudre à le faire,
Croiriez-vous obliger tout le monde à se taire ?
Contre la médisance[4] il n'est point de rempart.
100 À tous les sots caquets[5] n'ayons donc nul égard ;
Efforçons-nous de vivre avec toute innocence,
Et laissons aux causeurs une pleine licence.

passage analysé

notes

1. qu'aucun hante céans : que personne ne fréquente cette demeure.

2. hantez : fréquentez.

3. fâcheux : importun.

4. médisance : calomnie au XVIIe siècle.

5. caquets : propos médisants, bavardage déplacé.

DORINE

Daphné[1], notre voisine, et son petit époux
Ne seraient-ils point ceux qui parlent mal de nous ?
105 Ceux de qui la conduite offre le plus à rire
Sont toujours sur autrui les premiers à médire ;
Ils ne manquent jamais de saisir promptement
L'apparente lueur du moindre attachement,
D'en semer la nouvelle avec beaucoup de joie,
110 Et d'y donner le tour qu'ils veulent qu'on y croie :
Des actions d'autrui, teintes de leurs couleurs[2].
Ils pensent dans le monde autoriser les leurs,
Et sous le faux espoir de quelque ressemblance,
Aux intrigues qu'ils ont donner de l'innocence,
115 Ou faire ailleurs tomber quelques traits[3] partagés
De ce blâme public dont ils sont trop chargés.

passage analysé

MADAME PERNELLE

Tous ces raisonnements ne font rien à l'affaire.
On sait qu'Orante[4] mène une vie exemplaire :
Tous ses soins vont au Ciel ; et j'ai su par des gens
120 Qu'elle condamne fort le train[5] qui vient céans.

DORINE

L'exemple est admirable, et cette dame est bonne !
Il est vrai qu'elle vit en austère personne ;
Mais l'âge dans son âme a mis ce zèle ardent,
Et l'on sait qu'elle est prude[6] à son corps défendant.
125 Tant qu'elle a pu des cœurs attirer les hommages,
Elle a fort bien joui de tous ses avantages ;

notes

1. Daphné : nymphe pudique qui fut transformée en laurier pour échapper aux assiduités d'Apollon.
2. teintes de leurs couleurs : dépeintes selon leur fantaisie.
3. traits : mauvais, méchants tours.
4. Orante : celle qui prie (du latin *orare* qui signifie « prier »).
5. train : l'affluence des visiteurs.
6. prude : excessivement réservée.

Mais, voyant de ses yeux tous les brillants baisser,
Au monde, qui la quitte, elle veut renoncer,
Et du voile pompeux d'une haute sagesse
130 De ses attraits usés déguiser la faiblesse,
Ce sont là les retours[1] des coquettes du temps.
Il leur est dur de voir déserter les galants.
Dans un tel abandon, leur sombre inquiétude
Ne voit d'autre recours que le métier de prude ;
135 Et la sévérité de ces femmes de bien
Censure toute chose, et ne pardonne à rien ;
Hautement d'un chacun elles blâment la vie,
Non point par charité, mais par un trait d'envie,
Qui ne saurait souffrir qu'une autre ait les plaisirs
140 Dont le penchant[2] de l'âge a sevré leurs désirs.

MADAME PERNELLE

Voilà les contes bleus[3] qu'il vous faut pour vous plaire.
Ma bru, l'on est chez vous contrainte de se taire,
Car madame à jaser[4] tient le dé[5] tout le jour.
Mais enfin je prétends discourir à mon tour :
145 Je vous dis que mon fils n'a rien fait de plus sage
Qu'en recueillant chez soi ce dévot personnage ;
Que le Ciel au besoin[6] l'a céans envoyé
Pour redresser à tous votre esprit fourvoyé ;
Que pour votre salut vous le devez entendre,
150 Et qu'il ne reprend rien qui ne soit à reprendre.
Ces visites, ces bals, ces conversations
Sont du malin esprit toutes inventions.

passage analysé

notes

1. retours : artifices qui sont dus à un revirement (terme de vénerie : art de la chasse à courre).
2. le penchant : la pente.
3. contes bleus : contes pour enfants, romans de chevalerie publiés en brochure à couverture bleue.
4. jaser : bavarder.
5. tenir le dé : mener la conversation (expression qui désigne au sens propre le joueur qui a les dés en main).
6. au besoin : par nécessité.

Mise en scène de Jean Meyer au Théâtre Français, 1962.

**« Je vous dis que mon fils n'a rien fait de plus sage
Qu'en recueillant chez soi ce dévot personnage. »**

passage analysé

Là jamais on n'entend de pieuses paroles:
Ce sont propos oisifs, chansons et fariboles[1];
155 Bien souvent le prochain en a sa bonne part,
Et l'on y sait médire et du tiers et du quart[2].
Enfin les gens sensés ont leurs têtes troublées
De la confusion de telles assemblées:
Mille caquets divers s'y font en moins de rien;
160 Et comme l'autre jour un docteur dit fort bien,
C'est véritablement la tour de Babylone[3],
Car chacun y babille, et tout du long de l'aune[4],
Et pour conter l'histoire où ce point l'engagea...

(Montrant Cléante.)

Voilà-t-il pas monsieur qui ricane déjà!
165 Allez chercher vos fous qui vous donnent à rire,
Et sans... Adieu, ma bru: je ne veux plus rien dire.
Sachez que pour céans j'en rabats de moitié[5],
Et qu'il fera beau temps quand j'y mettrai le pied.

(Donnant un soufflet à Flipote.)

Allons, vous! vous rêvez, et bayez aux corneilles.
170 Jour de Dieu! je saurai vous frotter les oreilles.
Marchons, gaupe[6], marchons.

notes

1. **fariboles:** propos frivoles, vains.
2. **et du tiers et du quart:** et des tierces personnes et des quatrièmes aussi.
3. **la tour de Babylone:** la tour de Babel. Babel évoque la confusion des langues (jeu de mots sur Babel/babil).
4. **tout du long de l'aune:** à pleine mesure, sans retenue.
5. **j'en rabats de moitié:** je retire la moitié de l'estime que je porte à cette maison.
6. **gaupe:** femme malpropre, souillon.

Querelle de famille

Lecture analytique de la scène 1 de l'acte I

Le titre donné en 1669 par Molière à sa pièce – *Le Tartuffe ou l'Imposteur* – intrigue. La conjonction de coordination *« ou »* souligne la substitution possible d'un sobriquet à un jugement de valeur. Le premier dit le rire, le second peut engendrer les larmes. *Le Tartuffe* est-il une comédie* ou une tragédie ?

Le lecteur s'interroge encore. À quelle époque et où se passe l'action ? Quel en est le thème* ? De quel milieu social sont issus les personnages ? À toutes ces questions, la scène d'exposition* se doit, à l'époque de Molière, de répondre.

Habituellement, la scène d'exposition se présente sous la forme soit d'un monologue (comme celui d'Argan dans *Le Malade imaginaire*), soit d'un dialogue entre deux personnages, héros ou rôles secondaires, ou encore entre deux valets (Gusman et Sganarelle dans *Dom Juan*). Par son biais, l'auteur comme les comédiens s'adressent au public. Il s'agit de capter son attention et de mettre en place une dynamique évolutive de l'action, depuis le constat des relations préexistantes entre les personnages avant l'entrée des comédiens en scène, jusqu'à leur dénouement à la fin du spectacle.

Un débat pour début

Les réunions de famille visent généralement à exposer des opinions et à prendre des décisions.

Au moment où Molière nous présente la famille d'Orgon, elle est prise dans une situation conflictuelle et divisée en deux clans.

Une réunion de famille

❶ Quels sont les différents liens entre les personnages ?

* *Cf.* Lexique.

❷ Relevez les marques énonciatives* caractérisant leur situation sociale respective.
❸ En quoi le nombre de personnages crée-t-il la dynamique dramaturgique de cette première scène ?

Une atmosphère conflictuelle

❹ Quels sont les deux clans ? Relevez les marques verbales et syntaxiques de leur antagonisme*.
❺ Ce conflit s'exprime tant verbalement que gestuellement. Étudiez les différents tons* et gestes révélateurs des caractères.
❻ À l'issue de la scène, quels renseignements nous sont transmis ? (Relisez les vers 24, 31, 32, 84, 151.)

Une scène comique

Une telle atmosphère rend le choix du registre* (dramatique*, comique* ou tragique*) incertain. Le début et la fin de la scène, axés sur la sortie d'un personnage, pourraient être aussi bien tragiques que comiques. Pourtant il s'agit bien là d'une scène à tonalité* comique.
Le dramaturge* utilise le trait grossier de la farce* mais en affine les effets par un jeu de contrastes, contrastes qui soulignent l'originalité du caractère de chaque personnage et plus particulièrement de Madame Pernelle et de Dorine.

La farce

❼ Incarné la première fois par le comédien Béjart, le personnage de Madame Pernelle a été joué à plusieurs reprises par des hommes. Pensez-vous qu'un tel choix soit justifié et pourquoi ?
❽ Le personnage de Madame Pernelle, au nom si proche phonétiquement de « Péronnelle » (jeune fille sotte et bavarde) prête à rire. Son ridicule est du ressort de la farce*. Quels indices lexicaux nous le montrent ?
❾ Madame Pernelle partage son caractère emporté avec un autre personnage. Lequel, et qu'en conclure ?

* *Cf.* Lexique.

Acte 1, scène 1, pp. 43-52

Un jeu de contrastes

⑩ Observez la longueur des répliques* de chaque personnage et le rythme sur lequel elles sont prononcées. En quoi leur disparité accentue l'effet comique ?
⑪ Dorine, la « *fille suivante* », sert, par son attitude comme par ses propos, de contrepoint* ironique à Madame Pernelle. Qu'en penser au regard de sa condition ?

Une satire* sociale

Convaincus du registre comique de la pièce à l'issue de ces premières analyses, nous sommes néanmoins perplexes. Qui est donc ce « Tartuffe » capable de soulever un tel conflit dans une famille ? L'incertitude est inquiétante et Molière met en lumière, dès cette première scène, la menace que représente ce directeur de conscience. En exposant l'affrontement entre la morale puritaine incarnée par Madame Pernelle et la morale mondaine des esprits « forts », précurseurs de l'esprit des lumières, représentés par Elmire et Cléante, ne nous inviterait-il pas à mener une enquête sociale ?
L'art des portraits était au XVIIe siècle un divertissement fort apprécié. Le portrait permettait la peinture des mœurs et l'analyse psychologique. La première scène du *Tartuffe* est, de ce point de vue, incisive.

Satire de mœurs et art du portrait

⑫ Deux morales s'affrontent dès cette première scène. Étudiez les principaux arguments et le mode d'argumentation* développés par chaque parti.
⑬ Dorine décrit Daphné et Orante avec ironie*. Étudiez les marques énonciatives* de cette ironie (notamment le procédé antithétique).
⑭ Un *tartuffe*, précise la liste des personnages, est un « faux dévot ». Les qualificatifs utilisés par Madame Pernelle et par Dorine pour décrire Tartuffe justifient-ils ces deux termes ?

* *Cf.* Lexique.

Meshkin Ghalam (Tartuffe) au Théâtre du Soleil, 1997.

Louis Jouvet (Tartuffe) au Théâtre de l'Athénée, 1930.

Eugène Silvain (Tartuffe) au Français, 1879.

La scène d'exposition*

Lectures croisées et travaux d'écriture

Dans l'acte I scène 1, Molière observe les lois qui régissent à l'époque classique une scène d'exposition. Nous comprenons vite que l'action se passe dans une famille de grande bourgeoisie. L'outrance de certains caractères et le mode de communication théâtral caractérisent une tonalité comique. Toutefois, le motif du conflit familial suggère une satire de mœurs qui a pour cible première le clergé, et plus précisément l'attitude religieuse elle-même, la dévotion, qui est soupçonnée de « grimace ». Séduits par cet aspect subversif, nous sommes d'autant plus déçus de l'absence du personnage éponyme* de la pièce : Tartuffe. Cette « absence » nous place en situation d'attente. Peut-on alors considérer la tension relative à l'attente comme un ressort dramatique efficace de la scène d'exposition ? L'examen d'une telle scène dans un registre tragique et dans une pièce contemporaine nous invitera à réfléchir à cette hypothèse.

Corneille, *Le Cid*

Le Cid de Pierre Corneille (1606-1684), joué probablement début 1637, lui valut la gloire d'être anobli par le roi Louis XIII, mais aussi les déboires de la querelle du Cid qui dura deux ans. Exalter l'amour d'une fille (Chimène) pour le meurtrier (Rodrigue) de son père faisait figure de provocation, au moment précis où le Cardinal de Richelieu venait de promulguer l'interdiction du duel. Dans la première scène, Chimène, fille de don Gomès, et sa gouvernante Elvire évoquent don Rodrigue, amant* de Chimène.

Acte I, scène 1

CHIMÈNE

Elvire, m'as-tu fait un rapport bien sincère ?
Ne déguises-tu rien de ce qu'a dit mon père ?

ELVIRE

Tous mes sens à moi-même en sont encor charmés :
Il estime Rodrigue autant que vous l'aimez,
Et si je ne m'abuse à lire dans son âme,
Il vous commandera de répondre à sa flamme.

* *Cf.* Lexique.

CHIMÈNE
Dis-moi donc, je te prie, une seconde fois
Ce qui te fait juger qu'il approuve mon choix :
Apprends-moi de nouveau quel espoir j'en dois prendre ;
Un si charmant discours ne se peut trop entendre ;
Tu ne peux trop promettre aux feux de notre amour
La douce liberté de se montrer au jour.
Que t'a-t-il répondu sur la secrète brigue
Que font auprès de toi don Sanche et don Rodrigue ?
N'as-tu point trop fait voir quelle inégalité
Entre ces deux amants me penche d'un côté ?

ELVIRE
Non ; j'ai peint votre cœur dans une indifférence
Qui n'enfle d'aucun d'eux ni détruit l'espérance,
Et sans les voir d'un œil trop sévère ou trop doux,
Attend l'ordre d'un père à choisir un époux.
Ce respect l'a ravi, sa bouche et son visage
M'en ont donné sur l'heure un digne témoignage,
Et puisqu'il nous en faut encor faire un récit,
Voici d'eux et de vous ce qu'en hâte il m'a dit :
« Elle est dans le devoir ; tous deux sont dignes d'elle,
Tous deux formés d'un sang noble, vaillant, fidèle,
Jeunes, mais qui font lire aisément dans leurs yeux
L'éclatante vertu de leurs braves aïeux.
Don Rodrigue surtout n'a trait en son visage
Qui d'un homme de cœur ne soit la haute image,
Et sort d'une maison si féconde en guerriers,
Qu'ils y prennent naissance au milieu des lauriers.
La valeur de son père, en son temps sans pareille,
Tant qu'a duré sa force, a passé pour merveille ;
Ses rides sur son front ont gravé ses exploits,
Et nous disent encor ce qu'il fut autrefois.
Je me promets du fils ce que j'ai vu du père ;
Et ma fille, en un mot, peut l'aimer et me plaire. »
Il allait au conseil, dont l'heure qui pressait
A tranché ce discours qu'à peine il commençait ;
Mais à ce peu de mots je crois que sa pensée
Entre vos deux amants n'est pas fort balancée.

Le roi doit à son fils élire un gouverneur,
Et c'est lui que regarde un tel degré d'honneur :
Ce choix n'est pas douteux, et sa rare vaillance
Ne peut souffrir qu'on craigne aucune concurrence.
Comme ses hauts exploits le rendent sans égal,
Dans un espoir si juste il sera sans rival ;
Et puisque don Rodrigue a résolu son père
Au sortir du conseil à proposer l'affaire,
Je vous laisse à juger s'il prendra bien son temps,
Et si tous vos désirs seront bientôt contents.

CHIMÈNE
Il semble toutefois que mon âme troublée
Refuse cette joie et s'en trouve accablée :
Un moment donne au sort des visages divers,
Et dans ce grand bonheur je crains un grand revers.

ELVIRE
Vous verrez cette crainte heureusement déçue.

CHIMÈNE
Allons, quoi qu'il en soit, en attendre l'issue.

Corneille, *Le Cid*.

René de Obaldia, *Le Satyre de la Villette*

Le Satyre de la Villette *(1963) est une farce de l'écrivain René de Obaldia. La pièce, poétique et satirique, fait éclater un rire franc, fondé sur une critique insolente de la télévision et de la sexualité. La première scène met en présence la mère d'Urbain, le protagoniste*, et un voisin, monsieur Paillard. Tandis qu'ils prennent le café, le téléphone sonne et les réponses que fait la mère d'Urbain nous donnent un premier aperçu de son personnage.*

Scène 1

LA MÈRE, *tout en servant le café.* – Vous n'avez pas honte, monsieur Paillard, oser parler de charité alors qu'à vous seul vous occupez huit pièces !

MONSIEUR PAILLARD. – Oh ! vous savez, je ne vis pratiquement que dans la cuisine… Mais on peut être aussi charitable envers les morts ; toutes les autres pièces sont habitées par mes morts ! Mes trois femmes, mes géniteurs, ma fille, mon gendre, Coco, le fils de mon deuxième lit, ma petite bru… Le soir, je tire les rideaux, j'allume les candélabres, je décroche les portemanteaux, je fais chauffer l'eau pour les bouillottes. Les morts sont très frileux…

* *Cf.* Lexique.

La mère. – Tout de même ! Quand je pense qu'Urbain et moi nous macérons dans deux pièces, alors que vous, à l'étage au-dessous... Deux malheureuses pièces, avec toutes les lettres qu'il reçoit, ce pauvre Urbain, tous les coups de téléphone... *(Subitement mielleuse.)* Dites-moi, cher monsieur Paillard, vous qui croyez en Dieu, dites-moi... *(Sonnerie du téléphone. Elle se précipite et prend fiévreusement l'écouteur.)* Allô ! oui... Non. Il n'est pas encore rentré... De la part de qui ? Ah ! c'est mademoiselle Sylvie ! Bonjour, mademoiselle Sylvie. J'avais bien reconnu votre voix, mais au cas où ça n'aurait pas été vous... Oui, bien sûr, bien sûr... non... On ne peut jamais être certain avec Urbain, occupé comme il est à la télévision. À peine a-t-il terminé de dire les dernières nouvelles que d'autres nouvelles lui parviennent qu'il doit présenter également, si bien que l'on ne sait jamais avec certitude si les dernières sont vraiment les dernières... oui, oui..., les informations sont très rapides de nos jours, trop rapides... Et encore, nous n'habitons pas l'Équateur. Là-bas, le temps compte pour du beurre, paraît-il : à peine réveillé, la nuit vous tombe dessus comme un couperet ! Oh oui, il faut beaucoup de santé, beaucoup de santé ! Et Monsieur votre père, ses crises de cholestérol ? Il souffre ? Allons, tant mieux, tant mieux... Oui, c'est cela, rappelez un peu plus tard... Ou faites un saut jusqu'ici si vous pouvez vous libérer de vos petits garnements... Ah ! vous n'avez pas classe aujourd'hui. Que je suis sotte ! c'est vrai, nous sommes jeudi. *(À M. Paillard.)* Nous sommes jeudi ! *(Au téléphone.)* Oui, certainement, vous..., ne dites pas cela. Urbain aurait tant aimé être instituteur, éveiller toutes ces petites corolles... Enfin ! Mon fils est devenu la coqueluche de la télé... Pardon ?... Un travail à la chaîne ! Vous plaisantez ! *(Très fort.)* Je dis : vous plaisantez ! *(À M. Paillard.)* Elle plaisante. *(Au téléphone.)* Oui, oui, bien sûr. C'est cela, je vous en prie, je vous en prie. *(Elle raccroche.)* Elle n'a pas froid aux oreilles la petite institutrice ! Voulez-vous un peu d'eau dans votre café ?

Monsieur Paillard. – Je préfère un peu de café dans mon café, si cela ne vous dérange pas...

La mère, *contrariée.* – Soit ! *(Elle lui redonne du café.)*

Monsieur Paillard. – J'envie votre fils : parler à la Télévision. Se trouver partout à la fois tout en n'étant nulle part ! C'est quasiment miraculeux, quasiment magique ! Au Moyen Âge, on appelait cela le don d'ubiquité... Votre fils, madame Cloquet, est une sorte de saint... il biloque à volonté !

La mère, *rougissante.* – Oh ! monsieur Paillard !...

MONSIEUR PAILLARD. – Si ! Si !... Se faire écouter par des milliers et des milliers de personnes alors qu'il est si difficile, souvent, de se faire entendre d'une seule !

LA MÈRE. – Urbain a toujours eu une très belle voix. Dès sa naissance, il ameutait le quartier.

René de Obaldia, *Théâtre I – Le Satyre de la Villette*, Grasset, 1966.

Corpus

Texte A : Scène 1 de l'acte I du *Tartuffe* de Molière (p. 43 v. 1 à p. 52 v. 171).
Texte B : Scène 1 de l'acte I du *Cid* de Corneille (pp. 57-59).
Texte C : Scène 1 de l'acte I du *Satyre de la Villette* de René de Obaldia (pp. 59-61).

Examen des textes

❶ En relevant les termes élogieux par lesquels Madame Pernelle désigne Tartuffe, vous tenterez de déterminer la fonction de Tartuffe dans la famille d'Orgon. (texte A)
❷ Quelles sont les marques énonciatives* du registre* tragique* dans cette scène ? (texte B)
❸ Étudiez les champs lexicaux des sentiments dans le texte B. Quel type de personnage doit être don Rodrigue ?
❹ Par quelle modalité* de discours est évoquée la personne d'Urbain ? Présentez ce personnage. (texte C)

Travaux d'écriture

Question préliminaire
En dépit des différents registres utilisés, chaque texte proposé répond aux critères d'une scène d'exposition classique. Par quels indices énonciatifs* les trois œuvres s'ancrent-elles dans une société marquée socialement et idéologiquement ?

Commentaire
Vous ferez le commentaire composé de la scène 1 de l'acte I du *Cid* de Corneille. Vous aurez soin de montrer que cette scène répond aux critères d'une scène d'exposition classique et vous soulignerez sa tonalité tragique.

* *Cf.* Lexique.

Dissertation
« J'ai cru la comédie au point où je l'ai vue » s'écrie Pridamant dans l'*Illusion comique* de Corneille (acte V scène 5).
Quel rôle joue, à votre avis, la scène d'exposition dans cette adhésion du spectateur à la fiction théâtrale qui lui est proposée ?

Écriture d'invention
Transposez dans un contexte contemporain le débat familial qui agite la famille d'Orgon. Vous respecterez le mode du dialogue théâtral et l'importance accordée par Molière à chaque personnage.

Scène 2

CLÉANTE, DORINE

CLÉANTE

Je n'y veux point aller,
De peur qu'elle ne vînt encor me quereller,
Que cette bonne femme[1]...

DORINE

Ah! certes, c'est dommage
Qu'elle ne vous ouït tenir un tel langage:
175 Elle vous dirait bien qu'elle vous trouve bon,
Et qu'elle n'est point d'âge à lui donner ce nom.

CLÉANTE

Comme elle s'est pour rien contre nous échauffée[2]!
Et que de son Tartuffe elle paraît coiffée[3]!

DORINE

Oh! vraiment tout cela n'est rien au prix du fils,
180 Et si vous l'aviez vu, vous diriez: « C'est bien pis! »
Nos troubles[4] l'avaient mis sur le pied d'homme sage,
Et pour servir son prince il montra du courage;
Mais il est devenu comme un homme hébété[5],
Depuis que de Tartuffe on le voit entêté;
185 Il l'appelle son frère, et l'aime dans son âme
Cent fois plus qu'il ne fait mère, fils, fille et femme.
C'est de tous ses secrets l'unique confident,
Et de ses actions le directeur[6] prudent[7];

notes

1. **bonne femme**: vieille femme.
2. **échauffée**: irritée, impatientée.
3. **coiffée**: entichée.
4. **troubles**: allusion aux troubles de la Fronde.
5. **hébété**: rendu stupide.
6. **directeur**: un directeur de conscience laïc. C'est le métier de Tartuffe.
7. **prudent**: avisé.

Il le choie, il l'embrasse, et pour une maîtresse
190 On ne saurait, je pense, avoir plus de tendresse ;
À table, au plus haut bout il veut qu'il soit assis ;
Avec joie il l'y voit manger autant que six ;
Les bons morceaux de tout, il fait qu'on les lui cède ;
Et s'il vient à roter, il lui dit : « Dieu vous aide ! »

(C'est une servante qui parle.)

195 Enfin il en est fou ; c'est son tout, son héros ;
Il l'admire à tous coups, le cite à tout propos ;
Ses moindres actions lui semblent des miracles,
Et tous les mots qu'il dit sont pour lui des oracles.
Lui, qui connaît sa dupe[1] et qui veut en jouir,
200 Par cent dehors fardés a l'art de l'éblouir ;
Son cagotisme[2] en tire à toute heure des sommes,
Et prend droit de gloser[3] sur tous tant que nous sommes,
Il n'est pas jusqu'au fat[4] qui lui sert de garçon
Qui ne se mêle aussi de nous faire leçon ;
205 Il vient nous sermonner avec des yeux farouches,
Et jeter nos rubans, notre rouge et nos mouches[5].
Le traître, l'autre jour, nous rompit de ses mains
Un mouchoir[6] qu'il trouva dans une *Fleur des Saints*[7],
Disant que nous mêlions, par un crime effroyable,
210 Avec la sainteté les parures du diable.

notes

1. dupe : personne qu'on peut tromper facilement.
2. cagotisme : dévotion outrée et hypocrite.
3. gloser : faire des commentaires, critiquer.
4. fat : sot imbu de lui-même.
5. mouche : petit morceau de taffetas ou de velours noir, appliqué par les dames sur leur visage pour rehausser l'éclat de leur teint.
6. mouchoir : petite pièce de linge qui servait à parer la gorge.
7. *Fleur des Saints* : livre de piété rédigé par un jésuite espagnol : Pedro de Rivadeneyra.

Scène 3

ELMIRE, MARIANE, DAMIS, CLÉANTE, DORINE

ELMIRE

Vous êtes bien heureux de n'être point venu
Au discours qu'à la porte elle nous a tenu.
Mais j'ai vu mon mari : comme il ne m'a point vue,
Je veux aller là-haut attendre sa venue.

CLÉANTE

215 Moi, je l'attends ici pour moins d'amusement,
Et je vais lui donner le bonjour seulement.

DAMIS

De l'hymen[1] de ma sœur touchez-lui quelque chose,
J'ai soupçon que Tartuffe à son effet[2] s'oppose,
Qu'il oblige mon père à des détours si grands
220 Et vous n'ignorez pas quel intérêt j'y prends.
Si même ardeur enflamme et ma sœur et Valère,
La sœur de cet ami, vous le savez, m'est chère.
Et s'il fallait…

DORINE

Il entre.

notes

1. **hymen** : mariage.
2. **à son effet** : à sa réalisation.

Scène 4

ORGON, CLÉANTE, DORINE

ORGON

Ah ! mon frère, bonjour.

CLÉANTE

Je sortais, et j'ai joie à vous voir de retour.
225 La campagne à présent n'est pas beaucoup fleurie.

ORGON

Dorine... Mon beau-frère, attendez, je vous prie :
Vous voulez bien souffrir, pour m'ôter de souci,
Que je m'informe un peu des nouvelles d'ici.
(À Dorine.)
Tout s'est-il, ces deux jours, passé de bonne sorte ?
230 Qu'est-ce qu'on fait céans ? comme[1] est-ce qu'on s'y porte ?

DORINE

Madame eut avant-hier la fièvre jusqu'au soir,
Avec un mal de tête étrange à concevoir.

ORGON

Et Tartuffe ?

DORINE

Tartuffe ? Il se porte à merveille,
Gros et gras, le teint frais, et la bouche vermeille[2].

ORGON

235 Le pauvre homme !

notes

1. **comme :** comment.

2. **vermeille :** rouge vif, corail.

DORINE

Le soir, elle eut un grand dégoût[1],
Et ne put au souper toucher à rien du tout,
Tant sa douleur de tête était encor cruelle !

ORGON

Et Tartuffe ?

DORINE

Il soupa, lui tout seul, devant elle,
Et fort dévotement il mangea deux perdrix,
240 Avec une moitié de gigot en hachis.

ORGON

Le pauvre homme !

DORINE

La nuit se passa tout entière
Sans qu'elle pût fermer un moment la paupière ;
Des chaleurs l'empêchaient de pouvoir sommeiller,
Et jusqu'au jour près d'elle il nous fallut veiller.

ORGON

245 Et Tartuffe ?

DORINE

Pressé d'un sommeil agréable,
Il passa dans sa chambre au sortir de la table,
Et dans son lit bien chaud il se mit tout soudain,
Où sans trouble il dormit jusques au lendemain.

ORGON

Le pauvre homme !

note

1. elle eut un grand dégoût: elle perdit le goût, l'appétit.

DORINE

À la fin, par nos raisons gagnée,
250 Elle se résolut à souffrir la saignée[1],
Et le soulagement suivit tout aussitôt.

ORGON

Et Tartuffe ?

DORINE

Il reprit courage comme il faut,
Et contre tous les maux fortifiant son âme,
Pour réparer le sang qu'avait perdu madame,
255 But à son déjeuner quatre grands coups de vin.

ORGON

Le pauvre homme !

DORINE

Tous deux se portent bien enfin ;
Et je vais à madame annoncer par avance
La part que vous prenez à sa convalescence.

Scène 5

ORGON, CLÉANTE

CLÉANTE

À votre nez, mon frère, elle se rit de vous ;
260 Et sans avoir dessein de vous mettre en courroux,
Je vous dirai tout franc que c'est avec justice.
A-t-on jamais parlé d'un semblable caprice ?
Et se peut-il qu'un homme ait un charme[2] aujourd'hui

notes

1. **saignée** : ouverture de la veine pour tirer du sang. Ce remède était fréquent à l'époque.
2. **charme** : attrait puissant, envoûtant.

À vous faire oublier toutes choses pour lui,
265 Qu'après avoir chez vous réparé sa misère,
Vous en veniez au point ?…

ORGON

Halte-là, mon beau-frère :
Vous ne connaissez pas celui dont vous parlez.

CLÉANTE

Je ne le connais pas, puisque vous le voulez ;
Mais enfin, pour savoir quel homme ce peut être…

ORGON

270 Mon frère, vous seriez charmé de le connaître,
Et vos ravissements[1] ne prendraient point de fin.
C'est un homme… qui… ha !… un homme… un homme enfin.
Qui suit bien ses leçons, goûte une paix profonde,
Et comme du fumier regarde tout le monde.
275 Oui, je deviens tout autre avec son entretien ;
Il m'enseigne à n'avoir affection pour rien,
De toutes amitiés il détache mon âme ;
Et je verrais mourir frère, enfants, mère et femme,
Que je m'en soucierais autant que de cela[2].

CLÉANTE

280 Les sentiments humains, mon frère, que voilà !

ORGON

Ha ! si vous aviez vu comme j'en fis rencontre,
Vous auriez pris pour lui l'amitié que je montre.
Chaque jour à l'église il venait, d'un air doux,
Tout vis-à-vis de moi se mettre à deux genoux.

notes

1. **ravissements** : transports d'admiration (terme mystique qui indique un état d'extase).
2. Ce vers parodie la parole de l'apôtre saint Paul, dans son épître aux Philippiens (III, 8).

285 Il attirait les yeux de l'assemblée entière
Par l'ardeur dont au Ciel il poussait sa prière ;
Il faisait des soupirs, de grands élancements,
Et baisait humblement la terre à tous moments ;
Et lorsque je sortais, il me devançait vite,
290 Pour m'aller à la porte offrir de l'eau bénite.
Instruit par son garçon[1], qui dans tout l'imitait,
Et de son indigence, et de ce qu'il était,
Je lui faisais des dons ; mais avec modestie
Il me voulait toujours en rendre une partie.
295 « C'est trop, me disait-il, c'est trop de la moitié :
Je ne mérite pas de vous faire pitié » ;
Et quand je refusais de le vouloir reprendre,
Aux pauvres, à mes yeux, il allait le répandre.
Enfin le Ciel chez moi me le fit retirer[2],
300 Et depuis ce temps-là tout semble y prospérer.
Je vois qu'il reprend tout, et qu'à ma femme même
Il prend, pour mon honneur, un intérêt extrême ;
Il m'avertit des gens qui lui font les yeux doux,
Et plus que moi six fois il s'en montre jaloux.
305 Mais vous ne croiriez point jusqu'où monte son zèle :
Il s'impute à péché la moindre bagatelle ;
Un rien presque suffit pour le scandaliser :
Jusque-là qu'il se vint l'autre jour accuser
D'avoir pris une puce en faisant sa prière,
310 Et de l'avoir tuée avec trop de colère.

CLÉANTE

Parbleu ! vous êtes fou, mon frère, que je crois.
Avec de tels discours, vous moquez-vous de moi ?
Et que prétendez-vous que tout ce badinage ?…

notes

1. **garçon** : valet à tout faire.
2. **retirer** : recueillir.

ORGON

Mon frère, ce discours sent le libertinage[1] :
315 Vous en êtes un peu dans votre âme entiché[2] ;
Et comme je vous l'ai plus de dix fois prêché,
Vous vous attirerez quelque méchante affaire.

CLÉANTE

Voilà de vos pareils le discours ordinaire :
Ils veulent que chacun soit aveugle comme eux.
320 C'est être libertin que d'avoir de bons yeux,
Et qui n'adore pas de vaines simagrées,
N'a ni respect ni foi pour les choses sacrées.
Allez, tous vos discours ne me font point de peur :
Je sais comme je parle, et le Ciel voit mon cœur.
325 De tous vos façonniers[3] on n'est point les esclaves.
Il est de faux dévots ainsi que de faux braves ;
Et comme on ne voit pas qu'où l'honneur les conduit
Les vrais braves soient ceux qui font beaucoup de bruit,
Les bons et vrais dévots[4], qu'on doit suivre à la trace,
330 Ne sont pas ceux aussi qui font tant de grimace.
Hé quoi ? vous ne ferez nulle distinction
Entre l'hypocrisie et la dévotion ?
Vous les voulez traiter d'un semblable langage,
Et rendre même honneur au masque qu'au visage,
335 Égaler l'artifice à la sincérité,
Confondre l'apparence avec la vérité,
Estimer le fantôme[5] autant que la personne,
Et la fausse monnaie à l'égal de la bonne ?
Les hommes la plupart sont étrangement faits !

notes

1. libertinage : incrédulité, impiété.
2. entiché : moralement corrompu (variante d'« entaché »).
3. façonniers : faiseurs de façons, grimaciers.
4. dévots : hommes pieux.
5. fantôme : apparence.

340 Dans la juste nature on ne les voit jamais ;
La raison a pour eux des bornes[1] trop petites ;
En chaque caractère ils passent ses limites ;
Et la plus noble chose, ils la gâtent souvent
Pour la vouloir outrer et pousser trop avant.
345 Que cela vous soit dit en passant, mon beau-frère.

ORGON

Oui, vous êtes sans doute un docteur qu'on révère ;
Tout le savoir du monde est chez vous retiré ;
Vous êtes le seul sage et le seul éclairé,
Un oracle[2], un Caton[3] dans le siècle où nous sommes ;
350 Et près de vous ce sont des sots que tous les hommes.

CLÉANTE

Je ne suis point, mon frère, un docteur révéré[4],
Et le savoir chez moi n'est pas tout retiré.
Mais, en un mot, je sais, pour toute ma science,
Du faux avec le vrai faire la différence.
355 Et comme je ne vois nul genre de héros
Qui soient plus à priser que les parfaits dévots,
Aucune chose au monde et plus noble et plus belle
Que la sainte ferveur d'un véritable zèle,
Aussi ne vois-je rien qui soit plus odieux
360 Que le dehors plâtré d'un zèle spécieux[5],
Que ces francs charlatans, que ces dévots de place[6],
De qui la sacrilège et trompeuse grimace
Abuse impunément[7] et se joue à leur gré
De ce qu'ont les mortels de plus saint et sacré,

notes

1. **bornes** : limites.
2. **oracle** : prophète.
3. **Caton** : Caton d'Utique (95-46 av. J.-C.) ou Caton le Jeune, stoïcien contemporain de Cicéron, célèbre pour la rigidité de son caractère.
4. **révéré** : respecté.
5. **spécieux** : qui a belle apparence.
6. **dévots de place** : qui s'affichent sur la place publique.
7. **impunément** : sans être puni.

365 Ces gens qui, par une âme à l'intérêt soumise,
Font de dévotion métier et marchandise,
Et veulent acheter crédit et dignités
À prix de faux clins d'yeux et d'élans affectés,
Ces gens, dis-je, qu'on voit d'une ardeur non commune
370 Par le chemin du Ciel courir à leur fortune,
Qui, brûlants et priants, demandent chaque jour,
Et prêchent la retraite au milieu de la cour,
Qui savent ajuster leur zèle avec leurs vices,
Sont prompts[1], vindicatifs[2], sans foi, pleins d'artifices,
375 Et pour perdre quelqu'un couvrent insolemment
De l'intérêt du Ciel leur fier ressentiment,
D'autant plus dangereux dans leur âpre colère,
Qu'ils prennent contre nous des armes qu'on révère,
Et que leur passion, dont on leur sait bon gré,
380 Veut nous assassiner avec un fer sacré.
De ce faux caractère on en voit trop paraître ;
Mais les dévots de cœur sont aisés à connaître.
Notre siècle, mon frère, en expose à nos yeux
Qui peuvent nous servir d'exemples glorieux :
385 Regardez Ariston, regardez Périandre,
Oronte, Alcidamas, Polydore, Clitandre ;
Ce titre par aucun ne leur est débattu ;
Ce ne sont point du tout fanfarons de vertu ;
On ne voit point en eux ce faste insupportable,
390 Et leur dévotion est humaine, est traitable :
Ils ne censurent point toutes nos actions :
Ils trouvent trop d'orgueil dans ces corrections ;
Et laissant la fierté des paroles aux autres,
C'est par leurs actions qu'ils reprennent les nôtres.

notes

| **1. prompts** : irascibles. | **2. vindicatifs** : désireux de se venger.

395 L'apparence du mal a chez eux peu d'appui
Et leur âme est portée à juger bien d'autrui.
Point de cabale[1] en eux, point d'intrigues à suivre ;
On les voit, pour tous soins, se mêler de bien vivre ;
Jamais contre un pécheur ils n'ont d'acharnement ;
400 Ils attachent leur haine au péché seulement,
Et ne veulent point prendre, avec un zèle extrême,
Les intérêts du Ciel plus qu'il ne veut lui-même.
Voilà mes gens, voilà comme il en faut user,
Voilà l'exemple enfin qu'il se faut proposer.
405 Votre homme, à dire vrai, n'est pas de ce modèle :
C'est de fort bonne foi que vous vantez son zèle ;
Mais par un faux éclat je vous crois ébloui.

ORGON

Monsieur mon cher beau-frère, avez-vous tout dit ?

CLÉANTE

Oui.

ORGON

Je suis votre valet[2]. *(Il veut s'en aller.)*

CLÉANTE

De grâce un mot mon frère.
410 Laissons là ce discours. Vous savez que Valère
Pour être votre gendre a parole[3] de vous ?

ORGON

Oui.

CLÉANTE

Vous aviez pris jour pour un lien si doux.

notes

1. **cabale** : intrigue et esprit d'intrigue (allusion à la cabale des dévots, voir p. 226).

2. **Je suis votre valet** : je vous laisse la place.

3. **a parole** : a votre parole, votre promesse.

ORGON

Il est vrai.

CLÉANTE

Pourquoi donc en différer la fête ?

ORGON

Je ne sais.

CLÉANTE

Auriez-vous autre pensée en tête ?

ORGON

415 Peut-être.

CLÉANTE

Vous voulez manquer à votre foi[1] ?

ORGON

Je ne dis pas cela.

CLÉANTE

Nul obstacle, je croi,
Ne vous peut empêcher d'accomplir vos promesses.

ORGON

Selon.

CLÉANTE

Pour dire un mot, faut-il tant de finesses ?
Valère sur ce point me fait vous visiter.

ORGON

420 Le Ciel en soit loué !

note

1. foi : parole donnée.

CLÉANTE

Mais que lui reporter[1] ?

ORGON

Tout ce qu'il vous plaira.

CLÉANTE

Mais il est nécessaire
De savoir vos desseins. Quels sont-ils donc ?

ORGON

De faire
Ce que le Ciel voudra.

CLÉANTE

Mais parlons tout de bon.
Valère a votre foi : la tiendrez-vous, ou non ?

ORGON

425 Adieu.

CLÉANTE

Pour son amour je crains une disgrâce,
Et je dois l'avertir de tout ce qui se passe.

note

1. **reporter** : rapporter.

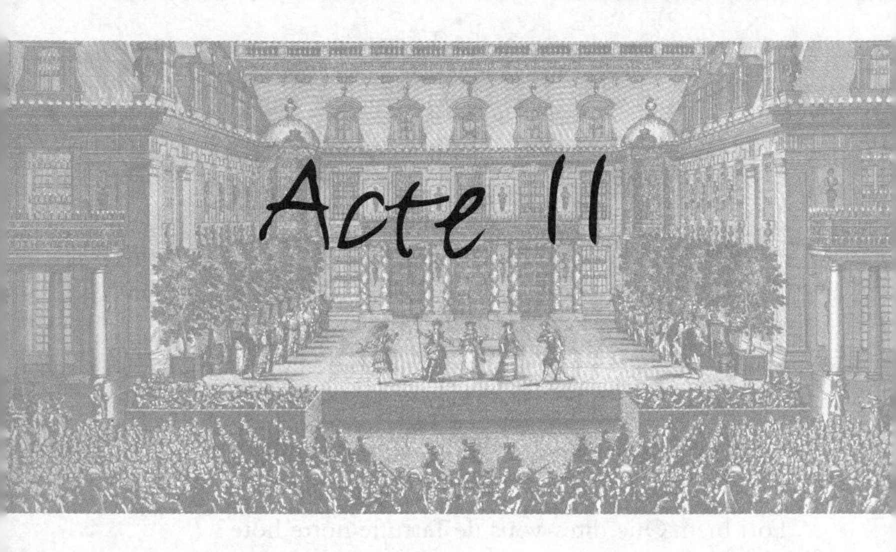

Scène 1

ORGON, MARIANE

ORGON

Mariane.

MARIANE

Mon père.

ORGON

Approchez, j'ai de quoi
Vous parler en secret.

MARIANE

Que cherchez-vous ?

ORGON *(Il regarde dans un petit cabinet.)*

Je voi
Si quelqu'un n'est point là qui pourrait nous entendre ;
Car ce petit endroit est propre pour surprendre,

5 Or sus[1], nous voilà bien. J'ai, Mariane, en vous
Reconnu de tout temps un esprit assez doux,
Et de tout temps aussi vous m'avez été chère.

MARIANE

Je suis fort redevable à cet amour de père.

ORGON

C'est fort bien dit, ma fille ; et pour le mériter,
10 Vous devez n'avoir soin que de me contenter.

MARIANE

C'est où, je mets aussi ma gloire la plus haute.

ORGON

Fort bien. Que dites-vous de Tartuffe notre hôte ?

MARIANE

Qui, moi ?

ORGON

Vous. Voyez bien comme vous répondrez.

MARIANE

Hélas ! j'en dirai, moi, tout ce que vous voudrez.

ORGON

15 C'est parler sagement. Dites-moi donc, ma fille,
Qu'en toute sa personne un haut mérite brille,
Qu'il touche votre cœur, et qu'il vous serait doux
De le voir par mon choix devenir votre époux.
Eh ?
(Mariane se recule avec surprise.)

MARIANE

Eh ?

note

1. **or sus** : allons.

ORGON

Qu'est-ce ?

MARIANE

Plaît-il ?

ORGON

Quoi ?

MARIANE

Me suis-je méprise ?

ORGON

20 Comment ?

MARIANE

Qui voulez-vous, mon père, que je dise
Qui me touche le cœur, et qu'il me serait doux
De voir par votre choix devenir mon époux ?

ORGON

Tartuffe.

MARIANE

Il n'en est rien, mon père, je vous jure.
Pourquoi me faire dire une telle imposture ?

ORGON

25 Mais je veux que cela soit une vérité ;
Et c'est assez pour vous que je l'aie arrêté.

MARIANE

Quoi ? vous voulez, mon père… ?

ORGON

Oui, je prétends, ma fille,
Unir par votre hymen Tartuffe à ma famille.
Il sera votre époux, j'ai résolu cela ;
30 Et comme sur vos vœux je…

Scène 2

DORINE, ORGON, MARIANE

ORGON

Que faites-vous là ?

La curiosité qui vous pousse est bien forte,
Mamie, à nous venir écouter de la sorte.

DORINE

Vraiment, je ne sais pas si c'est un bruit qui part
De quelque conjecture[1], ou d'un coup de hasard.
35 Mais de ce mariage on m'a dit la nouvelle,
Et j'ai traité cela de pure bagatelle.

ORGON

Quoi donc ? la chose est-elle incroyable ?

DORINE

À tel point,

Que vous-même, monsieur, je ne vous en crois point.

ORGON

Je sais bien le moyen de vous le faire croire.

DORINE

40 Oui, oui, vous nous contez une plaisante histoire.

ORGON

Je conte justement ce qu'on verra dans peu.

DORINE

Chansons[2] !

notes

1. **conjecture** : supposition.

2. **Chansons** : sottises.

ORGON

Ce que je dis, ma fille, n'est point jeu.

DORINE

Allez, ne croyez point monsieur votre père :
Il raille.

ORGON

Je vous dis…

DORINE

Non, vous avez beau faire,
45 On ne vous croira point.

ORGON

À la fin mon courroux[1]…

DORINE

Hé bien ! on vous croit donc, et c'est tant pis pour vous.
Quoi ? se peut-il, monsieur, qu'avec l'air d'homme sage
Et cette large barbe[2] au milieu du visage,
Vous soyez assez fou pour vouloir…

ORGON

Écoutez :
50 Vous avez pris céans certaines privautés[3]
Qui ne me plaisent point ; je vous le dis, mamie.

DORINE

Parlons sans nous fâcher, monsieur, je vous supplie.
Vous moquez-vous des gens d'avoir fait ce complot ?
Votre fille n'est point l'affaire d'un bigot[4] :

notes

1. **courroux :** colère.
2. **barbe :** se dit aussi de la moustache. Ce qui laisse une double possibilité de mise en scène.
3. **privautés :** familiarités.
4. **bigot :** personne qui manifeste une dévotion outrée et étroite.

55 Il a d'autres emplois auxquels il faut qu'il pense.
Et puis, que vous apporte une telle alliance ?
À quel sujet aller, avec tout votre bien,
Choisir un gendre gueux[1] ?...

ORGON

Taisez-vous. S'il n'a rien,
Sachez que c'est par là qu'il faut qu'on le révère[2].
60 Sa misère est sans doute une honnête misère ;
Au-dessus des grandeurs elle doit l'élever,
Puisque enfin de son bien il s'est laissé priver
Par son trop peu de soin des choses temporelles,
Et sa puissante attache[3] aux choses éternelles.
65 Mais mon secours pourra lui donner les moyens
De sortir d'embarras et rentrer dans ses biens :
Ce sont fiefs qu'à bon titre[4] au pays[5] on renomme ;
Et tel que l'on le voit, il est bien gentilhomme.

DORINE

Oui, c'est lui qui le dit : et cette vanité,
70 Monsieur, ne sied pas bien[6] avec la piété.
Qui d'une sainte vie embrasse l'innocence
Ne doit point tant prôner[7] son nom et sa naissance.
Et l'humble procédé de la dévotion[8]
Souffre mal les éclats de cette ambition.
75 À quoi bon cet orgueil ?... Mais ce discours vous blesse :
Parlons de sa personne, et laissons sa noblesse.
Ferez-vous possesseur, sans quelque peu d'ennui,
D'une fille comme elle un homme comme lui ?

notes

1. **gueux** : indigent, nécessiteux.
2. **révère** : respecte.
3. **attache** : attachement.
4. **qu'à bon titre** : sur des titres reconnus.
5. **au pays** : dans sa province.
6. **ne sied pas bien** : ne convient pas à.
7. **prôner** : vanter.
8. **dévotion** : attachement sincère et fervent à la religion.

Et ne devez-vous pas songer aux bienséances[1],
80 Et de cette union prévoir les conséquences?
Sachez que d'une fille on risque la vertu,
Lorsque dans son hymen son goût est combattu,
Que le dessein d'y vivre en honnête personne
Dépend des qualités du mari qu'on lui donne,
85 Et que ceux dont partout on montre au doigt le front
Font leurs femmes souvent ce qu'on voit qu'elles sont.
Il est bien difficile enfin d'être fidèle
À de certains maris faits d'un certain modèle,
Et qui donne à sa fille un homme qu'elle hait
90 Est responsable au Ciel[2] des fautes qu'elle fait.
Songez à quels périls votre dessein vous livre.

ORGON

Je vous dis qu'il me faut apprendre d'elle à vivre.

DORINE

Vous n'en feriez que mieux de suivre mes leçons.

ORGON

Ne nous amusons point, ma fille, à ces chansons:
95 Je sais ce qu'il vous faut, et je suis votre père.
J'avais donné pour vous ma parole à Valère;
Mais outre qu'à jouer on dit qu'il est enclin,
Je le soupçonne encor d'être un peu libertin[3]:
Je ne remarque point qu'il hante[4] les églises.

DORINE

100 Voulez-vous qu'il y coure à vos heures précises,
Comme ceux qui n'y vont que pour être aperçus?

notes

1. bienséances: convenances (ce qui convient).
2. au Ciel: devant Dieu.
3. libertin: libre penseur, esprit fort, impie.
4. hante: fréquente.

Mise en scène de Jean-Pierre Vincent, Théâtre des Amandiers, Nanterre, 1998.

ORGON

Je ne demande pas votre avis là-dessus.
Enfin avec le Ciel l'autre est le mieux du monde,
Et c'est une richesse à nulle autre seconde.
105 Cet hymen de tous biens comblera vos désirs,
Il sera tout confit[1] en douceurs et plaisirs.
Ensemble vous vivrez, dans vos ardeurs fidèles,
Comme deux vrais enfants, comme deux tourterelles ;
À nul fâcheux débat jamais vous n'en viendrez,
110 Et vous ferez de lui tout ce que vous voudrez.

DORINE

Elle ? elle n'en fera qu'un sot[2], je vous assure.

ORGON

Ouais ! quels discours !

DORINE

Je dis qu'il en a l'encolure,
Et que son ascendant[3], monsieur, l'emportera
Sur toute la vertu que votre fille aura.

ORGON

115 Cessez de m'interrompre, et songez à vous taire,
Sans mettre votre nez où vous n'avez que faire.

DORINE

Je n'en parle, monsieur, que pour votre intérêt.
(Elle l'interrompt toujours au moment qu'il se retourne pour parler à sa fille.)

ORGON

C'est prendre trop de soin : taisez-vous, s'il vous plaît.

notes

1. confit : pénétré, imprégné (l'expression généralement employée est « confit en dévotion »).
2. sot : cocu.
3. ascendant : horoscope, astre. L'astre qui se trouve en période ascendante au moment de la naissance influence le destin.

DORINE

Si l'on ne vous aimait…

ORGON

Je ne veux pas qu'on m'aime.

DORINE

120 Et je veux vous aimer, monsieur, malgré vous-même.

ORGON

Ah !

DORINE

Votre honneur m'est cher, et je ne puis souffrir
Qu'aux brocards[1] d'un chacun vous alliez vous offrir.

ORGON

Vous ne vous tairez point ?

DORINE

C'est une conscience[2]
Que de vous laisser faire une telle alliance.

ORGON

125 Te tairas-tu, serpent, dont les traits effrontés… ?

DORINE

Ah ! vous êtes dévot, et vous vous emportez ?

ORGON

Oui, ma bile s'échauffe à toutes ces fadaises[3],
Et tout résolument je veux que tu te taises.

DORINE

Soit. Mais, ne disant mot, je n'en pense pas moins.

notes

1. **brocards** : railleries offensantes (terme d'escrime).
2. **conscience** : cas de conscience.
3. **fadaises** : choses fades, sans goût, sottises.

ORGON

130 Pense, si tu le veux; mais applique tes soins
À ne m'en point parler, ou… Suffit.
(Se retournant vers sa fille.)
Comme sage,
J'ai pesé mûrement toutes choses.

DORINE

J'enrage
De ne pouvoir parler.
(Elle se tait lorsqu'il tourne la tête.)

ORGON

Sans être damoiseau[1],
Tartuffe est fait de sorte…

DORINE

Oui, c'est un beau museau[2].

ORGON

135 Que quand tu n'aurais même aucune sympathie
Pour tous les autres dons…
(Il se tourne devant elle, et la regarde les bras croisés.)

DORINE

La voilà bien lotie!
Si j'étais en sa place, un homme assurément
Ne m'épouserait pas de force impunément;
Et je lui ferais voir bientôt après la fête
140 Qu'une femme a toujours une vengeance prête.

ORGON

Donc, de ce que je dis on ne fera nul cas?

notes

1. damoiseau: jeune homme qui fait le beau et qui est empressé auprès des femmes.

2. museau: visage, figure.

DORINE

De quoi vous plaignez-vous ? Je ne vous parle pas.

ORGON

Qu'est-ce que tu fais donc ?

DORINE

Je me parle à moi-même.

ORGON

Fort bien. Pour châtier son insolence extrême,

145 Il faut que je lui donne un revers de ma main.

(Il se met en posture de lui donner un soufflet[1] ; et Dorine, à chaque coup d'œil qu'il jette, se tient droite sans parler.)

Ma fille, vous devez approuver mon dessein…

Croire que le mari… que j'ai su vous élire…

(À Dorine.)

Que ne te parles-tu ?

DORINE

Je n'ai rien à me dire.

ORGON

Encore un petit mot.

DORINE

Il ne me plaît pas, moi.

ORGON

150 Certes, je t'y guettais.

DORINE

Quelque sotte, ma foi[2] !

note

| 1. soufflet : gifle. | 2. Quelque sotte, ma foi ! : une sotte aurait dit…

ORGON

Enfin, ma fille, il faut payer d'obéissance[1],
Et montrer pour mon choix entière déférence[2].

DORINE, *en s'enfuyant.*

Je me moquerais fort de prendre un tel époux.
(Il lui veut donner un soufflet et la manque.)

ORGON

Vous avez là, ma fille, une peste avec vous.
155 Avec qui sans péché je ne saurais plus vivre.
Je me sens hors d'état maintenant de poursuivre :
Ses discours insolents m'ont mis l'esprit en feu,
Et je vais prendre l'air pour me rasseoir[3] un peu.

Scène 3

DORINE, MARIANE

DORINE

Avez-vous donc perdu, dites-moi, la parole,
160 Et faut-il qu'en ceci je fasse votre rôle ?
Souffrir qu'on vous propose un projet insensé,
Sans que du moindre mot vous l'ayez repoussé !

MARIANE

Contre un père absolu que veux-tu que je fasse ?

DORINE

Ce qu'il faut pour parer une telle menace.

notes

1. Payer d'obéissance : obéir.
2. déférence : soumission respectueuse.
3. me rasseoir : me remettre dans mon assiette, me calmer.

MARIANE

165 Quoi ?

DORINE

Lui dire qu'un cœur n'aime point par autrui,
Que vous vous mariez pour vous, non pas pour lui,
Qu'étant celle pour qui se fait toute l'affaire,
C'est à vous, non à lui, que le mari doit plaire,
Et que si son Tartuffe est pour lui si charmant,
170 Il le peut épouser sans nul empêchement.

MARIANE

Un père, je l'avoue, a sur nous tant d'empire[1],
Que je n'ai jamais eu la force de rien dire.

DORINE

Mais raisonnons. Valère a fait pour vous des pas[2] :
L'aimez-vous, je vous prie, ou ne l'aimez-vous pas ?

MARIANE

175 Ah ! qu'envers mon amour ton injustice est grande,
Dorine ! me dois-tu faire cette demande ?
T'ai-je pas là-dessus ouvert cent fois mon cœur,
Et sais-tu pas pour lui jusqu'où va mon ardeur[3] ?

DORINE

Que sais-je si le cœur a parlé par la bouche,
180 Et si c'est tout de bon[4] que cet amant vous touche ?

MARIANE

Tu me fais un grand tort, Dorine, d'en douter,
Et mes vrais sentiments ont su trop éclater.

notes

1. **empire** : pouvoir.
2. **des pas** : des démarches.
3. **ardeur** : ferveur.
4. **tout de bon** : véritablement.

DORINE

Enfin, vous l'aimez donc ?

MARIANE

Oui, d'une ardeur extrême.

DORINE

Et selon l'apparence il vous aime de même ?

MARIANE

185 Je le crois.

DORINE

Et tous deux brûlez[1] également
De vous voir mariés ensemble ?

MARIANE

Assurément.

DORINE

Sur cette autre union quelle est donc votre attente ?

MARIANE

De me donner la mort si l'on me violente.

DORINE

Fort bien : c'est un recours où je ne songeais pas ;
190 Vous n'avez qu'à mourir pour sortir d'embarras ;
Le remède sans doute est merveilleux. J'enrage
Lorsque j'entends tenir ces sortes de langage.

MARIANE

Mon Dieu ! de quelle humeur, Dorine, tu te rends !
Tu ne compatis point aux déplaisirs des gens.

note

1. brûlez : désirez vivement.

DORINE

195 Je ne compatis point à qui dit des sornettes
Et dans l'occasion mollit comme vous faites.

MARIANE

Mais que veux-tu ? si j'ai de la timidité.

DORINE

Mais l'amour dans un cœur veut de la fermeté.

MARIANE

Mais n'en gardé-je pas pour les feux[1] de Valère ?
200 Et n'est-ce pas à lui de m'obtenir d'un père ?

DORINE

Mais quoi ? si votre père est un bourru fieffé[2],
Qui s'est de son Tartuffe entièrement coiffé[3]
Et manque à l'union qu'il avait arrêtée,
La faute à votre amant doit-elle être imputée ?

MARIANE

205 Mais par un haut refus et d'éclatants mépris
Ferai-je dans mon choix voir un cœur trop épris ?
Sortirai-je pour lui, quelque éclat dont il brille,
De la pudeur du sexe et du devoir de fille ?
Et veux-tu que mes feux par le monde étalés… ?

DORINE

210 Non, non, je ne veux rien. Je vois que vous voulez
Être à monsieur Tartuffe ; et j'aurais, quand j'y pense,
Tort de vous détourner d'une telle alliance.
Quelle raison aurais-je à combattre vos vœux ?

notes

1. **feux** : métaphore poétique pour désigner l'amour.

2. **bourru fieffé** : homme d'humeur brusque, extravagant.

3. **coiffé** : épris, entiché.

Le parti de soi-même est fort avantageux.
215 Monsieur Tartuffe ! oh ! oh ! n'est-ce rien qu'on propose ?
Certes, monsieur Tartuffe, à bien prendre la chose,
N'est pas un homme, non, qui se mouche du pié[1],
Et ce n'est pas peu d'heur[2] que d'être sa moitié.
Tout le monde déjà de gloire le couronne ;
220 Il est noble chez lui, bien fait de sa personne ;
Il a l'oreille rouge et le teint bien fleuri[3] :
Vous vivrez trop contente avec un tel mari.

MARIANE

Mon Dieu !...

DORINE

Quelle allégresse aurez-vous dans votre âme,
Quand d'un époux si beau vous vous verrez la femme !

MARIANE

225 Ha ! cesse, je te prie, un semblable discours,
Et contre cet hymen ouvre-moi du secours[4],
C'en est fait, je me rends, et suis prête à tout faire.

DORINE

Non, il faut qu'une fille obéisse à son père,
Voulût-il lui donner un singe pour époux.
230 Votre sort est fort beau : de quoi vous plaignez-vous ?
Vous irez par le coche en sa petite ville,
Qu'en oncles et cousins vous trouverez fertile,
Et vous vous plairez fort à les entretenir.
D'abord chez le beau monde on vous fera venir ;
235 Vous irez visiter, pour votre bienvenue,

notes

1. se mouche du pié : Tartuffe est un homme sérieux et non un saltimbanque qui, pour montrer sa souplesse, touche son nez de son pied.

2. heur : de bonheur.

3. fleuri : coloré, rouge de bonne santé.

4. ouvre-moi du secours : procure-moi du secours.

Madame la baillive et madame l'élue[1],
Qui d'un siège pliant[2] vous feront honorer.
Là, dans le carnaval, vous pourrez espérer
Le bal et la grand-bande[3], à savoir, deux musettes,
240 Et parfois Fagotin[4] et les marionnettes,
Si pourtant votre époux...

MARIANE

Ah ! tu me fais mourir.
De tes conseils plutôt songe à me secourir.

DORINE

Je suis votre servante.

MARIANE

Eh ! Dorine, de grâce...

DORINE

Il faut, pour vous punir, que cette affaire passe.

MARIANE

245 Ma pauvre fille !

DORINE

Non.

MARIANE

Si mes vœux déclarés...

DORINE

Point : Tartuffe est votre homme, et vous en tâterez[5].

notes

1. **Madame la baillive et madame l'élue** : femmes des magistrats provinciaux. Le bailli rend la justice dans le district ; l'élu (par les états généraux) juge en première instance de certaines affaires d'impôts.
2. **siège pliant** : siège réservé aux personnes de condition sociale modeste.
3. **grand-bande** : orchestre des vingt-quatre violons de la chambre du Roi (ironique ici puisque l'orchestre se réduira à deux musettes ou cornemuses).
4. **Fagotin** : singe savant du montreur de marionnettes.
5. **vous en tâterez** : vous en ferez l'expérience.

MARIANE

Tu sais qu'à toi toujours je me suis confiée :
Fais-moi…

DORINE

Non, vous serez, ma foi ! tartuffiée[1].

MARIANE

Hé bien ! puisque mon sort ne saurait t'émouvoir,
250 Laisse-moi désormais toute à mon désespoir :
C'est de lui que mon cœur empruntera de l'aide,
Et je sais de mes maux l'infaillible remède.

(Elle veut s'en aller.)

DORINE

Hé ! là, là, revenez. Je quitte mon courroux.
Il faut, nonobstant[2] tout, avoir pitié de vous.

MARIANE

255 Vois-tu, si l'on m'expose à ce cruel martyre,
Je te le dis, Dorine, il faudra que j'expire.

DORINE

Ne vous tourmentez point. On peut adroitement
Empêcher… Mais voici Valère, votre amant.

notes

1. **tartuffiée :** entichée de Tartuffe.

2. **nonobstant :** néanmoins.

Scène 4

VALÈRE, MARIANE, DORINE

passage analysé

VALÈRE

On vient de débiter[1], madame, une nouvelle

260 Que je ne savais pas, et qui sans doute est belle.

MARIANE

Quoi ?

VALÈRE

Que vous épousez Tartuffe.

MARIANE

Il est certain

Que mon père s'est mis en tête ce dessein.

VALÈRE

Votre père, madame…

MARIANE

A changé de visée :

La chose vient par lui de m'être proposée.

VALÈRE

265 Quoi ? sérieusement ?

MARIANE

Oui, sérieusement.

Il s'est pour cet hymen déclaré hautement.

VALÈRE

Et quel est le dessein où votre âme s'arrête,

note

1. **débiter** : énoncer à la suite, en public.

Madame ?

MARIANE

Je ne sais.

VALÈRE

La réponse est honnête.

Vous ne savez ?

MARIANE

Non.

VALÈRE

Non ?

MARIANE

Que me conseillez-vous ?

VALÈRE

270 Je vous conseille, moi, de prendre cet époux.

passage analysé

MARIANE

Vous me le conseillez ?

VALÈRE

Oui.

MARIANE

Tout de bon ?

VALÈRE

Sans doute

Le choix est glorieux, et vaut bien qu'on l'écoute.

MARIANE

Hé bien ! c'est un conseil, monsieur, que je reçois.

VALÈRE

Vous n'aurez pas grand-peine à le suivre, je crois.

MARIANE

275 Pas plus qu'à le donner en a souffert votre âme.

VALÈRE

Moi, je vous l'ai donné pour vous plaire, madame.

MARIANE

Et moi, je le suivrai pour vous faire plaisir.

DORINE, *à part.*

Voyons ce qui pourra de ceci réussir[1].

VALÈRE

C'est donc ainsi qu'on aime ? Et c'était tromperie
280 Quand vous...

MARIANE

Ne parlons point de cela, je vous prie.
Vous m'avez dit tout franc que je dois accepter
Celui que pour époux on me veut présenter :
Et je déclare, moi, que je prétends le faire,
Puisque vous m'en donnez le conseil salutaire.

VALÈRE

285 Ne vous excusez point sur[2] mes intentions.
Vous aviez pris déjà vos résolutions ;
Et vous vous saisissez d'un prétexte frivole
Pour vous autoriser à manquer de parole.

MARIANE

Il est vrai, c'est bien dit.

VALÈRE

Sans doute ; et votre cœur
290 N'a jamais eu pour moi de véritable ardeur.

passage analysé

notes

1. **réussir** : résulter.

2. **sur** : en prenant prétexte de.

MARIANE

Hélas ! permis à vous d'avoir cette pensée.

VALÈRE

Oui, oui, permis à moi ; mais mon âme offensée
Vous préviendra[1] peut-être en un pareil dessein ;
Et je sais où porter et mes vœux et ma main.

MARIANE

295 Ah ! je n'en doute point ; et les ardeurs qu'excite
Le mérite...

VALÈRE

Mon Dieu, laissons là le mérite :
J'en ai fort peu sans doute, et vous en faites foi.
Mais j'espère aux bontés qu'une autre aura pour moi,
Et j'en sais de qui l'âme, à ma retraite ouverte,
300 Consentira sans honte à réparer ma perte.

MARIANE

La perte n'est pas grande ; et de ce changement
Vous vous consolerez assez facilement.

VALÈRE

J'y ferai mon possible, et vous le pouvez croire.
Un cœur qui nous oublie engage notre gloire[2] ;
305 Il faut à l'oublier mettre aussi tous nos soins :
Si l'on n'en vient à bout, on le doit feindre au moins ;
Et cette lâcheté jamais ne se pardonne,
De montrer de l'amour pour qui nous abandonne.

MARIANE

Ce sentiment, sans doute, est noble et relevé.

passage analysé

notes

1. **préviendra :** devancera.

2. **gloire :** honneur.

VALÈRE

310 Fort bien ; et d'un chacun il doit être approuvé.
Hé quoi ? vous voudriez qu'à jamais dans mon âme
Je gardasse pour vous les ardeurs de ma flamme,
Et vous visse, à mes yeux, passer en d'autres bras,
Sans mettre ailleurs un cœur dont vous ne voulez pas ?

MARIANE

315 Au contraire : pour moi, c'est ce que je souhaite ;
Et je voudrais déjà que la chose fût faite.

VALÈRE

Vous le voudriez ?

MARIANE

Oui.

VALÈRE

C'est assez m'insulter,
Madame ; et de ce pas je vais vous contenter.
(Il fait un pas pour s'en aller et revient toujours.)

MARIANE

Fort bien.

VALÈRE

Souvenez-vous au moins que c'est vous-même
320 Qui contraignez mon cœur à cet effort extrême.

MARIANE

Oui.

VALÈRE

Et que le dessein que mon âme conçoit
N'est rien qu'à votre exemple.

MARIANE

À mon exemple, soit.

VALÈRE

Suffit : vous allez être à point nommé servie.

MARIANE

Tant mieux.

VALÈRE

Vous me voyez, c'est pour toute ma vie.

MARIANE

325 À la bonne heure.

VALÈRE

Euh ?

(Il s'en va ; et lorsqu'il est vers la porte, il se retourne.)

MARIANE

Quoi ?

VALÈRE

Ne m'appelez-vous pas ?

MARIANE

Moi ? Vous rêvez.

VALÈRE

Hé bien ! je poursuis donc mes pas.

Adieu, madame.

MARIANE

Adieu, monsieur.

DORINE

Pour moi, je pense

Que vous perdez l'esprit par cette extravagance ;

Et je vous ai laissé tout du long quereller,

330 Pour voir où tout cela pourrait enfin aller.

Holà ! Seigneur Valère.

(Elle va l'arrêter par le bras, et lui, fait mine de grande résistance.)

passage analysé

VALÈRE

Hé ! que veux-tu, Dorine ?

DORINE

Venez ici.

VALÈRE

Non, non, le dépit me domine.
Ne me détourne point de ce qu'elle a voulu.

DORINE

Arrêtez.

VALÈRE

Non, vois-tu ? c'est un point résolu.

DORINE

335 Ah !

MARIANE

Il souffre à me voir, ma présence le chasse,
Et je ferai bien mieux de lui quitter la place.

DORINE *(Elle quitte Valère et court à Mariane.)*

À l'autre. Où courez-vous ?

MARIANE

Laisse.

DORINE

Il faut revenir.

MARIANE

Non, non, Dorine ; en vain tu veux me retenir.

VALÈRE

Je vois bien que ma vue est pour elle un supplice,
340 Et sans doute il vaut mieux que je l'en affranchisse.

DORINE *(Elle quitte Mariane et court à Valère.)*
Encor ? Diantre soit fait de vous[1] si je le veux !
Cessez ce badinage[2], et venez çà[3] tous deux.
(Elle les tire l'un et l'autre.)

VALÈRE
Mais quel est ton dessein ?

MARIANE
Qu'est-ce que tu veux faire ?

DORINE
Vous bien remettre ensemble, et vous tirer d'affaire.
(À Valère.)
345 Êtes-vous fou d'avoir un pareil démêlé ?

VALÈRE
N'as-tu pas entendu comme elle m'a parlé ?

DORINE, *à Mariane.*
Êtes-vous folle, vous, de vous être emportée ?

MARIANE
N'as-tu pas vu la chose, et comme il m'a traitée ?

DORINE, *à Valère.*
Sottise des deux parts. Elle n'a d'autre soin
350 Que de se consacrer à vous, j'en suis témoin.
(À Mariane.)
Il n'aime que vous seule, et n'a point d'autre envie
Que d'être votre époux ; j'en réponds sur ma vie.

passage analysé

notes

1. Diantre soit fait de vous : déformation du mot « diable » ; que le diable vous emporte si j'y consens ! (mais Dorine ne le souhaite pas).

2. badinage : plaisanterie, jeu.

3. venez çà : venez ici.

Mise en scène de Marcel Maréchal, Théâtre de la Criée, Marseille, 1991.

MARIANE

Pourquoi donc me donner un semblable conseil ?

VALÈRE

Pourquoi m'en demander sur un sujet pareil ?

DORINE

355 Vous êtes fous tous deux. Çà, la main, l'un et l'autre.
Allons, vous.

VALÈRE, *en donnant sa main à Dorine.*

À quoi bon ma main ?

DORINE

Ah ! çà, la vôtre.

MARIANE, *en donnant aussi sa main.*

De quoi sert tout cela ?

DORINE

Mon Dieu ! vite, avancez.
Vous vous aimez tous deux plus que vous ne pensez.

VALÈRE

Mais ne faites donc point les choses avec peine,
360 Et regardez un peu les gens sans nulle haine.
(Mariane tourne l'œil sur Valère et fait un petit souris[1].)

DORINE

À vous dire le vrai, les amants sont bien fous !

VALÈRE

Ho çà ! n'ai-je pas lieu de me plaindre de vous ?
Et, pour n'en point mentir, n'êtes-vous pas méchante
De vous plaire à me dire une chose affligeante ?

passage analysé

note

1. souris : sourire.

MARIANE

365 Mais vous, n'êtes-vous pas l'homme le plus ingrat... ?

DORINE

Pour une autre saison laissons tout ce débat
Et songeons à parer ce fâcheux mariage.

MARIANE

Dis-nous donc quels ressorts[1] il faut mettre en usage.

DORINE

Nous en ferons agir de toutes les façons.
370 Votre père se moque, et ce sont des chansons ;
Mais pour vous, il vaut mieux qu'à son extravagance
D'un doux consentement vous prêtiez l'apparence,
Afin qu'en cas d'alarme il vous soit plus aisé
De tirer en longueur cet hymen proposé.
375 En attrapant du temps[2], à tout on remédie.
Tantôt vous payerez[3] de quelque maladie,
Qui viendra tout à coup et voudra des délais ;
Tantôt vous payerez de présages mauvais :
Vous aurez fait d'un mort la rencontre fâcheuse,
380 Cassé quelque miroir, ou songé d'eau bourbeuse.
Enfin le bon de tout c'est qu'à d'autres qu'à lui
On ne vous peut lier, que[4] vous ne disiez « oui ».
Mais pour mieux réussir, il est bon, ce me semble,
Qu'on ne vous trouve point tous deux parlant ensemble.

(À Valère.)

385 Sortez, et sans tarder, employez vos amis,
Pour vous faire tenir[5] ce qu'on vous a promis.

passage analysé

notes

1. **ressorts :** moyens de résistance.
2. **En attrapant du temps :** en gagnant du temps.
3. **vous payerez :** vous prendrez prétexte.
4. **que :** sans que.
5. **tenir :** obtenir.

passage analysé

Nous allons réveiller les efforts de son frère,
Et dans notre parti jeter la belle-mère.
Adieu.

VALÈRE, *à Mariane.*

Quelques efforts que nous préparions tous,
390 Ma plus grande espérance, à vrai dire, est en vous.

MARIANE, *à Valère.*

Je ne vous réponds pas des volontés d'un père ;
Mais je ne serai point à d'autre qu'à Valère.

VALÈRE

Que vous me comblez d'aise ! Et quoi que puisse oser…

DORINE

Ah ! jamais les amants ne sont las[1] de jaser[2].
395 Sortez, vous dis-je.

VALÈRE *(Il fait un pas et revient.)*

Enfin…

DORINE

Quel caquet[3] est le vôtre !

(Les poussant chacun par l'épaule.)

Tirez de cette part ; et vous, tirez de l'autre.

notes

| **1. las :** fatigués. | **2. jaser :** causer. | **3. caquet :** bavardage inconsidéré.

« À vous dire le vrai, les amants sont bien fous ! »

Lecture analytique de la scène 4 de l'acte II

Fin de l'acte II : Orgon, incapable d'entendre la distinction rationnelle qu'établit Cléante entre vraie et fausse dévotion, confirme sa décision de marier sa fille Mariane – qui n'oppose aucune résistance – à Tartuffe. Dorine, outrée, vient de s'emporter contre Mariane lorsque survient Valère, le premier prétendant. Et les deux jeunes gens de se quereller…
La querelle entre amants* ou scène de dépit amoureux* est une situation récurrente* dans le théâtre de Molière. Dans *Le Tartuffe*, elle est doublement attendue. Sur un plan psychologique : Mariane n'ayant aucunement résisté à son père, aime-t-elle vraiment Valère ? Le lecteur s'attend à recevoir des preuves de la réciprocité de l'amour éprouvé par les deux amants. Ainsi seulement sera-t-il convaincu de l'absurdité d'un mariage imposé. Sur un plan dramatique : quel recours trouveront les amants contre un mariage imposé ? Enfin, à quoi bon la présence de Dorine ?

Une scène de dépit amoureux

Le terme de « dépit » implique que l'atmosphère d'une telle scène soit conflictuelle. Le lecteur s'attend donc à des attitudes et à une communication verbale antagonistes* entre les personnages. Dans les scènes de dépit amoureux, le conflit débute soit par un échange verbal tendu, soit par un malentendu ou un quiproquo*. Une fois déclenchée, la crise évolue vers la séparation des amants pour finalement se résoudre en déclarations tendres.

Le dépit amoureux

❶ Quels sont les différents sentiments qui animent les amants dans toute la scène ? Étudiez-en les marques énonciatives*.

* *Cf.* Lexique.

❷ Les deux amants sont jeunes. Relevez des attitudes qui le signifient.
❸ Montrez par la syntaxe et le style employés que la déclaration se substitue au dépit.

La structure d'une scène de dépit amoureux

❹ Quel défaut dans la communication déclenche l'affrontement entre Valère et Mariane ? Quelle est l'utilité des stichomythies* des vers 265 à 277 ?
❺ À quel moment la tension devient plus forte ? Quelle figure de style accentue cet affrontement des vers 315 à 325 ?
❻ Comment s'opère le retournement de situation ?
❼ La remarque de Dorine : « *Ah ! jamais les amants ne sont las de jaser* » résume la situation finale. Décrivez-la.

La prestation de Dorine

L'issue heureuse vient clore la scène. La médiation de Dorine met en relief son personnage, omniprésent dans l'acte II. Molière enrichit ainsi la théâtralité de la scène : de la médiation de Dorine dépend la tonalité de la scène – tragique* ou comique*. La querelle du couple mise en scène par le regard de Dorine se réfléchit dans le regard complice du spectateur ; enfin Dorine, en s'employant à lutter contre le mariage forcé qu'envisage Orgon, franchit le statut de simple suivante pour devenir l'instigatrice d'une véritable « cabale » contre Tartuffe.

La médiation de Dorine

❽ Observez toutes les didascalies* qui soulignent la médiation de Dorine. Que trahissent-elles envers les amants ?
❾ Étudiez le mode et les tons* que Dorine emploie des vers 328 à 368. Quel rôle joue-t-elle effectivement ?
❿ Dorine n'intervient pas seulement par affection pour les amants mais aussi pour sauver la maison. De fait, que dénonce-t-elle chez les amants (vers 344 à 355) comme chez Orgon (vers 475) ?

* *Cf.* Lexique.

Dorine metteur en scène

⓫ Le regard de Dorine met en scène la querelle des amants. Les étapes de ce cheminement sont mises en relief par Molière. Relevez les vers qui marquent chaque étape.

⓬ Sur quels arguments propres à préserver la tonalité* comique de la scène se fondent ses commentaires ?

⓭ Ce procédé de mise en abîme évoque un courant esthétique. Lequel ?

Dorine conspiratrice

⓮ Des vers 369 à 389, Dorine devient conspiratrice. Les différents expédients qu'elle suggère à Mariane paraissent datés. Pourquoi ?

⓯ Étudiez l'emploi des pronoms de la 1re et 2e personne dans la tirade de Dorine. Comment soulignent-ils son rôle de conspiratrice ?

⓰ Dorine manifeste dans la fin de la scène une volonté ferme de résister à l'extravagance d'Orgon. Quels vers trahissent cette fermeté et quelles sont, selon vous, les raisons profondes de Dorine ?

* *Cf.* Lexique.

Les scènes de dépit amoureux*

Lectures croisées et travaux d'écriture

Le lecteur a pu constater que la scène 4 de l'acte II se déroule suivant les étapes ordinaires des scènes de dépit amoureux. Cette scène possède une utilité dramatique – comment faire obstacle à un mariage imposé ? – et une utilité psychologique – signifier au lecteur la force des sentiments qui unissent Mariane et Valère.

Les scènes de dépit amoureux, inspirées par la comédie* italienne dont elles sont un ressort comique*, sont récurrentes* dans le théâtre de Molière. L'examen de quelques-unes peut permettre au lecteur d'en reconstituer l'élaboration et d'en apprécier la complexité.

Molière, *Le Dépit amoureux*

Le Dépit amoureux, *comédie en vers inspirée par la comédie italienne de Nicolo Secchi,* L'Interesse *(La Cupidité), fut représenté pour la première fois à Paris en décembre 1656 sur le théâtre du Petit-Bourbon. L'argument est signifié par le titre. La scène 3 de l'acte IV oppose Lucile à son amant Éraste, tous deux encouragés par leurs serviteurs Gros-René et Marinette.*

ÉRASTE, LUCILE, MARINETTE, GROS-RENÉ

LUCILE

Quand on aime les gens, on les traite autrement ;
On fait de leur personne un meilleur jugement.

ÉRASTE

Quand on aime les gens, on peut, de jalousie,
Sur beaucoup d'apparence, avoir l'âme saisie ;
Mais alors qu'on les aime, on ne peut en effet
Se résoudre à les perdre, et vous, vous l'avez fait.

LUCILE

La pure jalousie est plus respectueuse.

ÉRASTE

On voit d'un œil plus doux une offense amoureuse.

* *Cf.* Lexique.

LUCILE
Non, votre cœur, Éraste, était mal enflammé.

ÉRASTE
Non, Lucile, jamais vous ne m'avez aimé.

LUCILE
Eh ! je crois que cela faiblement vous soucie.
Peut-être en serait-il beaucoup mieux pour ma vie,
Si je… Mais laissons là ces discours superflus,
Je ne dis point quels sont mes pensers là-dessus.

ÉRASTE
Pourquoi ?

LUCILE
Par la raison que nous rompons ensemble,
Et que cela n'est plus de saison, ce me semble.

ÉRASTE
Nous rompons ?

LUCILE
Oui, vraiment ; quoi ! n'en est-ce pas fait ?

ÉRASTE
Et vous voyez cela d'un esprit satisfait ?

LUCILE
Comme vous.

ÉRASTE
Comme moi ?

LUCILE
Sans doute, c'est faiblesse
De faire voir aux gens que leur perte nous blesse.

ÉRASTE
Mais, cruelle, c'est vous qui l'avez bien voulu.

LUCILE
Moi ? Point du tout ; c'est vous qui l'avez résolu.

ÉRASTE
Moi ? Je vous ai cru là faire un plaisir extrême.

LUCILE
Point, vous avez voulu vous contenter vous-même.

ÉRASTE

Mais si mon cœur encor revoulait sa prison…
Si, tout fâché qu'il est, il demandait pardon ?…

LUCILE

Non, non, n'en faites rien : ma faiblesse est trop grande,
J'aurais peur d'accorder trop tôt votre demande.

ÉRASTE

Ha ! vous ne pouvez pas trop tôt me l'accorder,
Ni moi sur cette peur trop tôt le demander.
Consentez-y, Madame ; une flamme si belle
Doit, pour votre intérêt, demeurer immortelle.
Je le demande enfin ; me l'accorderez-vous,
Ce pardon obligeant ?

LUCILE

Remenez-moi chez nous.

Louis Moland, *Œuvres complètes de Molière*, D.R.

Molière, *Le Bourgeois gentilhomme*

Le Bourgeois gentilhomme, *comédie-ballet, fut représenté pour la première fois à Chambord le 14 octobre 1670 devant le Roi et la Cour. Molière y ridiculise les bourgeois aux prétentions nobiliaires. La scène 10 de l'acte III oppose Lucile, fille de monsieur Jourdain (le bourgeois-gentilhomme) à son amant Cléonte. Leur dispute est de plus redoublée et réfléchie par la querelle que se livrent parallèlement leurs serviteurs, Nicole et Covielle.*

CLÉONTE, LUCILE, COVIELLE, NICOLE

CLÉONTE, *se retournant vers Lucile.* – Sachons donc le sujet d'un si bel accueil.

LUCILE, *s'en allant à son tour pour éviter Cléonte.* – Il ne me plaît plus de le dire.

COVIELLE, *se retournant vers Nicole.* – Apprends-nous un peu cette histoire.

NICOLE, *s'en allant à son tour pour éviter Covielle.* – Je ne veux plus, moi, te l'apprendre.

CLÉONTE. – Dites-moi…

LUCILE. – Non, je ne veux rien dire.

COVIELLE. – Conte-moi…

NICOLE. – Non, je ne conte rien.

CLÉONTE. – De grâce.

LUCILE. – Non, vous dis-je.

COVIELLE. – Par charité.

NICOLE. – Point d'affaire.

CLÉONTE. – Je vous en prie.

LUCILE. – Laissez-moi.

COVIELLE. – Je t'en conjure.

NICOLE. – Ôte-toi de là.

CLÉONTE. – Lucile !

LUCILE. – Non.

COVIELLE. – Nicole !

NICOLE. – Point.

CLÉONTE. – Au nom des dieux.

LUCILE. – Je ne veux pas.

COVIELLE. – Parle-moi.

NICOLE. – Point du tout.

CLÉONTE. – Éclaircissez mes doutes.

LUCILE. – Non, je n'en ferai rien.

COVIELLE. – Guéris-moi l'esprit.

NICOLE. – Non, il ne me plaît pas.

CLÉONTE. – Hé bien ! puisque vous vous souciez si peu de me tirer de peine, et de vous justifier du traitement indigne que vous avez fait à ma flamme, vous me voyez, ingrate, pour la dernière fois, et je vais loin de vous mourir de douleur et d'amour.

COVIELLE, *à Nicole.* – Et moi, je vais suivre ses pas.

LUCILE, *à Cléonte qui veut sortir.* – Cléonte !

NICOLE, *à Covielle qui suit son maître.* – Covielle !

CLÉONTE, *s'arrêtant.* – Eh ?

COVIELLE, *s'arrêtant aussi.* – Plaît-il ?

LUCILE. – Où allez-vous ?

CLÉONTE. – Où je vous ai dit.

COVIELLE. – Nous allons mourir.

LUCILE. – Vous allez mourir, Cléonte ?

CLÉONTE. – Oui, cruelle, puisque vous le voulez.

LUCILE. – Moi, je veux que vous mouriez ?

CLÉONTE. – Oui, vous le voulez.

LUCILE. – Qui vous le dit ?

CLÉONTE, *s'approchant de Lucile.* – N'est-ce pas le vouloir, que ne vouloir pas éclaircir mes soupçons ?

LUCILE. – Est-ce ma faute ? et si vous aviez voulu m'écouter, ne vous aurais-je pas dit que l'aventure dont vous vous plaignez a été causée ce matin par la présence d'une vieille tante, qui veut à toute force que la seule approche d'un homme déshonore une fille, qui perpétuellement nous sermonne sur ce chapitre, et nous figure[1] tous les hommes comme des diables qu'il faut fuir ?

NICOLE, *à Covielle.* – Voilà le secret de l'affaire.

CLÉONTE. – Ne me trompez-vous point, Lucile ?

COVIELLE, *à Nicole.* – Ne m'en donnes-tu point à garder[2] ?

LUCILE, *à Cléonte.* – Il n'est rien de plus vrai.

NICOLE, *à Covielle.* – C'est la chose comme elle est.

COVIELLE, *à Cléonte.* – Nous rendrons-nous à cela ?

CLÉONTE. – Ah ! Lucile, qu'avec un mot de votre bouche vous savez apaiser de choses dans mon cœur ! et que facilement on se laisse persuader aux[3] personnes qu'on aime !

COVIELLE. – Qu'on est aisément amadoué[4] par ces diantres d'animaux-là !

Molière, *Le Bourgeois gentilhomme.*

1. figure : représente. **2. ne m'en donnes-tu point à garder :** ne me trompes-tu pas ? **3. aux :** par les. **4. amadoué :** attendri.

Corpus

Texte A : Extrait de la scène 4 de l'acte II du *Tartuffe* de Molière (p. 105 v. 355 à p. 107 v. 396).
Texte B : Extrait de la scène 3 de l'acte IV du *Dépit Amoureux* de Molière pp. 111-113).
Texte C : Extrait de la scène 10 de l'acte III du *Bourgeois gentilhomme* de Molière (pp. 113-115).

Examen des textes

❶ Étudiez l'évolution des tons dans le texte B.
❷ Robert Garapon qualifie la scène 4 de l'acte II du *Tartuffe* de ballet chorégraphique. En quoi la médiation de Dorine légitime-t-elle cet avis ?
❸ Étudiez les diverses marques de la théâtralité dans le texte C.
❹ Une situation commune aux trois textes parvient à provoquer une tension dramatique renouvelée, capable d'aiguiser l'intérêt du lecteur comme du spectateur. Quel texte préférez-vous et pourquoi ?

Travaux d'écriture

Questions préliminaires
❶ Dans quelle mesure les trois textes présentent-ils les principales caractéristiques des scènes de dépit amoureux ?
❷ Montrez comment les trois textes renouvellent la scène de dépit amoureux en complexifiant une situation dramatique initialement identique.

Commentaire
Vous ferez le commentaire composé de l'extrait de la scène 10 de l'acte III du *Bourgeois gentilhomme* (de « *Hé bien ! puisque vous vous souciez* » jusqu'à la fin). Vous vous efforcerez de montrer comment la réflexion de la querelle des maîtres par celle des valets enrichit la théâtralité de la scène.

Dissertation
Les scènes de dépit amoureux, bien qu'elles constituent généralement un ressort comique, pourraient installer une tension tragique. Vous discuterez ce point de vue en vous fondant sur les scènes de dépit amoureux que vous connaissez, à diverses époques.

Écriture d'invention
Vous avez reçu un e-mail d'un(e) ami(e) vous souhaitant votre fête. Vous remerciez aussitôt mais vous vous trompez de prénom. Votre étourderie déclenche une dispute. Racontez.

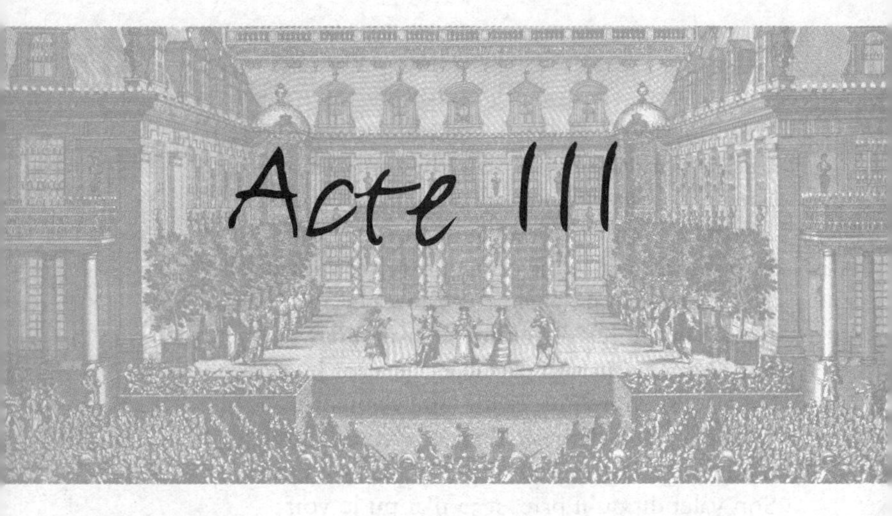

Scène 1

DAMIS, DORINE

DAMIS

Que la foudre sur l'heure achève mes destins,
Qu'on me traite partout du plus grand des faquins[1]
S'il est aucun respect ni pouvoir qui m'arrête,
Et si je ne fais pas quelque coup de ma tête !

DORINE

5 De grâce, modérez un tel emportement :
Votre père n'a fait qu'en parler simplement,
On n'exécute pas tout ce qui se propose,
Et le chemin est long du projet à la chose.

DAMIS

Il faut que de ce fat[2] j'arrête les complots,
10 Et qu'à l'oreille un peu je lui dise deux mots.

notes

1. **faquins** : portefaix, hommes de rien, impertinents et bas. 2. **fat** : sot imbu de lui-même.

DORINE

Ha ! tout doux ! Envers lui, comme envers votre père,
Laissez agir les soins de votre belle-mère.
Sur l'esprit de Tartuffe elle a quelque crédit[1] ;
Il se rend complaisant à tout ce qu'elle dit,
15 Et pourrait bien avoir douceur de cœur pour elle.
Plût à Dieu qu'il fût vrai ! la chose serait belle.
Enfin votre intérêt[2] l'oblige à le mander[3] ;
Sur l'hymen qui vous trouble elle veut le sonder,
Savoir ses sentiments, et lui faire connaître
20 Quels fâcheux démêlés il pourra faire naître,
S'il faut qu'à ce dessein il prête quelque espoir.
Son valet dit qu'il prie, et je n'ai pu le voir ;
Mais ce valet m'a dit qu'il s'en allait descendre.
Sortez donc, je vous prie, et me laissez l'attendre.

DAMIS

25 Je puis être présent à tout cet entretien.

DORINE

Point. Il faut qu'ils soient seuls.

DAMIS

Je ne lui dirai rien.

DORINE

Vous vous moquez : on sait vos transports[4] ordinaires
Et c'est le vrai moyen de gâter les affaires.
Sortez.

DAMIS

Non : je veux voir, sans me mettre en courroux.

notes

1. **crédit** : influence.
2. **votre intérêt** : l'intérêt qu'Elmire vous porte.
3. **mander** : convoquer, faire venir.
4. **transports** : emportements.

DORINE

30 Que vous êtes fâcheux[1] ! Il vient. Retirez-vous.

(Damis va se cacher dans un cabinet qui est au fond du théâtre.)

Scène 2

TARTUFFE, LAURENT, DORINE

TARTUFFE, *apercevant Dorine.*

Laurent, serrez ma haire[2] avec ma discipline[3],
Et priez que toujours le Ciel vous illumine,
Si l'on vient pour me voir, je vais aux prisonniers
Des aumônes que j'ai partager les deniers[4].

DORINE

35 Que d'affectation et de forfanterie[5] !

TARTUFFE

Que voulez-vous ?

DORINE

Vous dire…

TARTUFFE *(Il tire un mouchoir de sa poche.)*

Ah ! mon Dieu, je vous prie,
Avant que de parler prenez-moi ce mouchoir.

DORINE

Comment ?

notes

1. **fâcheux** : importun.
2. **haire** : chemise de crin ou de poil de chèvre, portée sur la peau pour se mortifier.
3. **discipline** : fouet avec lequel un fidèle se donne des coups pour se repentir d'avoir péché.
4. **deniers** : ancienne monnaie romaine puis française, valant la moitié d'un sou, soit un centime d'euro.
5. **forfanterie** : vantardise et exagération.

TARTUFFE

Couvrez ce sein que je ne saurais voir :
Par de pareils objets les âmes sont blessées,
40 Et cela fait venir de coupables pensées.

DORINE

Vous êtes donc bien tendre à la tentation,
Et la chair sur vos sens fait grande impression !
Certes, je ne sais pas quelle chaleur vous monte :
Mais à convoiter, moi, je ne suis point si prompte,
45 Et je vous verrais nu du haut jusques en bas,
Que toute votre peau ne me tenterait pas.

TARTUFFE

Mettez dans vos discours un peu de modestie,
Ou je vais sur-le-champ vous quitter la partie[1].

DORINE

Non, non, c'est moi qui vais vous laisser en repos,
50 Et je n'ai seulement qu'à vous dire deux mots.
Madame va venir dans cette salle basse[2],
Et d'un mot d'entretien vous demande la grâce.

TARTUFFE

Hélas ! très volontiers.

DORINE, *en soi-même.*

Comme il se radoucit !
Ma foi, je suis toujours pour ce que j'en ai dit.

TARTUFFE

55 Viendra-t-elle bientôt ?

notes

1. vous quitter la partie : vous céder la place. | **2. salle basse :** salle du rez-de-chaussée.

DORINE

Je l'entends, ce me semble.
Oui, c'est elle en personne, et je vous laisse ensemble.

Scène 3

ELMIRE, TARTUFFE

passage analysé

TARTUFFE

Que le Ciel à jamais par sa toute bonté
Et de l'âme et du corps vous donne la santé,
Et bénisse vos jours autant que le désire
60 Le plus humble de ceux que son amour inspire.

ELMIRE

Je suis fort obligée à ce souhait pieux ;
Mais prenons une chaise, afin d'être un peu mieux.

TARTUFFE

Comment de votre mal vous sentez-vous remise ?

ELMIRE

Fort bien ; et cette fièvre a bientôt quitté prise.

TARTUFFE

65 Mes prières n'ont pas le mérite qu'il faut
Pour avoir attiré cette grâce d'en haut ;
Mais je n'ai fait au Ciel nulle dévote instance[1]
Qui n'ait eu pour objet votre convalescence.

ELMIRE

Votre zèle pour moi s'est trop inquiété.

note

1. **instance :** sollicitation pressante.

Tartuffe et Elmire. Gravure de la Bibliothèque Nationale.

Acte III, scène 3

TARTUFFE

70 On ne peut trop chérir votre chère santé,
Et pour la rétablir j'aurais donné la mienne.

ELMIRE

C'est pousser bien avant la charité chrétienne,
Et je vous dois beaucoup pour toutes ces bontés.

TARTUFFE

Je fais bien moins pour vous que vous ne méritez.

ELMIRE

75 J'ai voulu vous parler en secret d'une affaire,
Et suis bien aise ici qu'aucun ne nous éclaire.

TARTUFFE

J'en suis ravi de même, et sans doute il m'est doux,
Madame, de me voir seul à seul avec vous :
C'est une occasion qu'au Ciel j'ai demandée,
80 Sans que jusqu'à cette heure il me l'ait accordée.

ELMIRE

Pour moi, ce que je veux, c'est un mot d'entretien,
Où tout votre cœur s'ouvre, et ne me cache rien.

TARTUFFE

Et je ne veux aussi pour grâce singulière
Que montrer à vos yeux mon âme tout entière,
85 Et vous faire serment que les bruits[1] que j'ai faits
Des visites qu'ici reçoivent vos attraits
Ne sont pas envers vous l'effet d'aucune haine,
Mais plutôt d'un transport de zèle qui m'entraîne,
Et d'un pur mouvement…

passage analysé

note

1. bruits : critiques.

ELMIRE

Je le prends bien aussi,

90 Et crois que mon salut vous donne ce souci.

TARTUFFE *(Il lui serre le bout des doigts.)*

Oui, madame, sans doute, et ma ferveur est telle…

ELMIRE

Ouf ! vous me serrez trop.

TARTUFFE

C'est par excès de zèle.

De vous faire aucun mal je n'eus jamais dessein,

Et j'aurais bien plutôt…

(Il lui met la main sur le genou.)

ELMIRE

Que fait là votre main ?

TARTUFFE

95 Je tâte votre habit : l'étoffe en est moelleuse.

ELMIRE

Ah ! de grâce, laissez, je suis fort chatouilleuse.

(Elle recule sa chaise, et Tartuffe rapproche la sienne.)

TARTUFFE, *maniant le fichu d'Elmire.*

Mon Dieu ! que de ce point l'ouvrage est merveilleux !

On travaille aujourd'hui d'un air miraculeux ;

Jamais, en toute chose, on n'a vu si bien faire.

ELMIRE

100 Il est vrai. Mais parlons un peu de notre affaire.

On tient que mon mari veut dégager sa foi

Et vous donner sa fille. Est-il vrai, dites-moi ?

passage analysé

Acte III, scène 3

TARTUFFE

Il m'en a dit deux mots ; mais, madame, à vrai dire,
Ce n'est pas le bonheur après quoi je soupire ;
105 Et je vois autre part les merveilleux attraits
De la félicité qui fait tous mes souhaits.

ELMIRE

C'est que vous n'aimez rien des choses de la terre.

TARTUFFE

Mon sein n'enferme pas un cœur qui soit de pierre.

ELMIRE

Pour moi, je crois qu'au Ciel tendent tous vos soupirs,
110 Et que rien ici-bas n'arrête[1] vos désirs.

TARTUFFE

L'amour qui nous attache aux beautés éternelles
N'étouffe pas en nous l'amour des temporelles ;
Nos sens facilement peuvent être charmés[2]
Des ouvrages parfaits que le Ciel a formés.
115 Ses attraits réfléchis brillent dans vos pareilles ;
Mais il étale en vous ses plus rares merveilles :
Il a sur votre face épanché des beautés
Dont les yeux sont surpris, et les cœurs transportés,
Et je n'ai pu vous voir, parfaite créature,
120 Sans admirer en vous l'auteur de la nature,
Et d'une ardente amour sentir mon cœur atteint,
Au[3] plus beau des portraits où lui-même il s'est peint.
D'abord j'appréhendai que cette ardeur secrète
Ne fût du noir esprit une surprise adroite[4] ;

passage analysé

notes

1. n'arrête : ne retient.
2. charmés : envoûtés.
3. Au : devant le.
4. adroite : se prononçait « adrète », pour la rime.

125 Et même à fuir vos yeux mon cœur se résolut,
Vous croyant un obstacle à faire mon salut.
Mais enfin je connus, ô beauté toute[1] aimable,
Que cette passion peut n'être point coupable,
Que je puis l'ajuster avecque[2] la pudeur,
130 Et c'est ce qui m'y fait abandonner mon cœur.
Ce m'est, je le confesse, une audace bien grande
Que d'oser de ce cœur vous adresser l'offrande;
Mais j'attends en mes vœux tout de votre bonté,
Et rien des vains efforts de mon infirmité[3];
135 En vous est mon espoir, mon bien, ma quiétude,
De vous dépend ma peine ou ma béatitude[4],
Et je vais être enfin, par votre seul arrêt[5],
Heureux, si vous voulez, malheureux, s'il vous plaît.

passage analysé

ELMIRE

La déclaration est tout à fait galante,
140 Mais elle est, à vrai dire, un peu bien surprenante,
Vous deviez, ce me semble, armer mieux votre sein[6],
Et raisonner un peu sur un pareil dessein.
Un dévot comme vous, et que partout on nomme…

TARTUFFE

Ah! pour être dévot, je n'en suis pas moins homme;
145 Et lorsqu'on vient à voir vos célestes appas,
Un cœur se laisse prendre, et ne raisonne pas.
Je sais qu'un tel discours de moi paraît étrange;
Mais, madame, après tout, je ne suis pas un ange;
Et si vous condamnez l'aveu que je vous fais,

notes

1. **toute**: tout entière.
2. **avecque**: ancienne orthographe de l'adverbe «avec» qui subsiste jusqu'à la fin du XVIIe siècle et dont la prononciation est plus agréable à l'oreille.
3. **infirmité**: faiblesse, manque de solidité.
4. **béatitude**: bonheur parfait (félicité des bienheureux dans les Évangiles).
5. **arrêt**: décision.
6. **sein**: cœur.

150 Vous devez vous en prendre à vos charmants attraits.
Dès que j'en vis briller la splendeur plus qu'humaine,
De mon intérieur[1] vous fûtes souveraine ;
De vos regards divins l'ineffable[2] douceur
Força la résistance où s'obstinait mon cœur ;
155 Elle surmonta tout, jeûnes, prières, larmes,
Et tourna tous mes vœux du côté de vos charmes.
Mes yeux et mes soupirs vous l'ont dit mille fois,
Et pour mieux m'expliquer j'emploie ici la voix.
Que si vous contemplez d'une âme un peu bénigne[3]
160 Les tribulations[4] de votre esclave indigne,
S'il faut que vos bontés veuillent me consoler
Et jusqu'à mon néant daignent se ravaler,
J'aurai toujours pour vous, ô suave merveille,
Une dévotion à nulle autre pareille.
165 Votre honneur avec moi ne court point de hasard,
Et n'a nulle disgrâce à craindre de ma part.
Tous ces galants de cour, dont les femmes sont folles,
Sont bruyants dans leurs faits et vains[5] dans leurs paroles,
De leurs progrès sans cesse on les voit se targuer ;
170 Ils n'ont point de faveurs qu'ils n'aillent divulguer ;
Et leur langue indiscrète, en qui l'on se confie,
Déshonore l'autel où leur cœur sacrifie.
Mais les gens comme nous brûlent d'un feu discret,
Avec qui pour toujours on est sûr du secret :
175 Le soin que nous prenons de notre renommée
Répond de toute chose à la personne aimée,
Et c'est en nous qu'on trouve, acceptant notre cœur,
De l'amour sans scandale et du plaisir sans peur.

passage analysé

notes

1. **mon intérieur** : mon cœur.
2. **ineffable** : inexprimable.
3. **bénigne** : bienveillante.
4. **tribulations** : tourment moral, épreuves envoyées par Dieu (dans le langage ecclésiastique).
5. **vains** : orgueilleux.

passage analysé

ELMIRE

Je vous écoute dire, et votre rhétorique
180 En termes assez forts à mon âme s'explique.
N'appréhendez-vous point que je ne sois d'humeur
À dire à mon mari cette galante[1] ardeur,
Et que le prompt avis d'un amour de la sorte
Ne pût bien altérer l'amitié qu'il vous porte ?

TARTUFFE

185 Je sais que vous avez trop de bénignité[2],
Et que vous ferez grâce à ma témérité,
Que vous m'excuserez sur[3] l'humaine faiblesse
Des violents transports d'un amour qui vous blesse,
Et considérerez, en regardant votre air,
190 Que l'on n'est pas aveugle, et qu'un homme est de chair.

ELMIRE

D'autres prendraient cela d'autre façon peut-être ;
Mais ma discrétion se veut faire paraître.
Je ne redirai point l'affaire à mon époux ;
Mais je veux en revanche une chose de vous :
195 C'est de presser tout franc et sans nulle chicane[4]
L'union de Valère avecque Mariane,
De renoncer vous-même à l'injuste pouvoir[5]
Qui veut du bien d'un autre enrichir votre espoir,
Et…

notes

1. **galante** : amoureuse.
2. **bénignité** : bienveillance.
3. **sur** : en considérant.
4. **chicane** : tracasserie, discussion.
5. **pouvoir** : Elmire évoque ici le pouvoir d'Orgon.

L'art d'aimer « dévotement »

Lecture analytique de l'acte III, scène 3

Tartuffe a enfin paru. Deux actes entiers d'absence et des indices de personnalité distillés habilement par chacun des membres de la famille d'Orgon ont aiguisé notre curiosité. Molière lui donne le premier rôle à l'acte III.

Au début de l'acte, nous avons vu que le « glouton » de la scène 5 de l'acte I devenait moralisateur à la vue du sein de Dorine. Toutefois, comme l'a remarqué avec perspicacité cette dernière, l'annonce d'un entretien avec Elmire l'a rempli d'une émotion bien vive pour être dévote… Dans la mesure où l'entretien est objet théâtral, le langage est le premier enjeu dramatique de la scène 3. Le langage de Tartuffe doit véhiculer la dévotion. Or sa compassion initiale fait rapidement place à des propos excessivement galants envers la femme de son hôte. Comment concilier dévotion et galanterie sans se rendre ridicule ? En second lieu, le bonheur de Mariane et de Valère dépend de l'issue de l'entretien entre Elmire et Tartuffe. Aussi leur conversation se métamorphose-t-elle en une autenthique joute oratoire. Enfin, la réception de la demande d'Elmire par Tartuffe devrait dévoiler son caractère.

Galanterie et dévotion

Tout entretien favorise l'intimité. Mais si la compassion dont fait preuve Tartuffe à l'égard d'Elmire dans les premières répliques ne dépasse pas une bienséance dévote, les gestes, qui bientôt l'accompagnent, la contredisent et trahissent la galanterie. La déclaration qui les suit montre un Tartuffe suffoqué par la concupiscence et « réduit » à détourner le langage dévot en faveur de son désir.

Le dévot galant

❶ Quel est le rôle des indications gestuelles dans la scène et pourquoi disparaissent-elles ?
❷ Relevez dans la scène les clichés du style galant.
❸ Quelle est la métaphore filée du début de la première tirade* au vers 156 ?
❹ En quoi l'usage du récit dans les deux tirades sert-il les intentions de Tartuffe ?
❺ Étudiez l'emploi des différents temps verbaux. Que révèlent-ils du personnage ?

Une joute oratoire

La déclaration de Tartuffe inverse le rapport de force et le met en situation de faiblesse. Une fois sa surprise passée, Elmire fait preuve d'une ingénieuse présence d'esprit. L'action se confond dès lors avec une joute oratoire dont Elmire sort victorieuse. Aux déviations sensualistes de la rhétorique de Tartuffe, elle oppose une logique rigoureuse sans être trop brusque pour ruiner son dessein matrimonial. Tartuffe se retrouve dans une situation fort embarrassante.

L'éloquence d'Elmire

❻ Étudiez l'habileté avec laquelle Elmire repousse Tartuffe sans le brusquer. Sur quels arguments* fonde-t-elle son refus ?
❼ L'attitude d'Elmire a pu être qualifiée à la fois d'ambiguë et de coquette*. Partagez-vous cet avis ? Justifiez votre réponse par le texte.
❽ Elmire est aussi forte que Tartuffe est faible. À cet égard, en quoi la fin est-elle significative ?
❾ Tartuffe amoureux peut être pitoyable ou ridicule. Quels vers permettent l'une ou l'autre interprétation ?

* *Cf.* Lexique.

Acte III, scène 3, pp. 121-128

L'arme rhétorique de la tirade

La tirade, qui se présente sous la forme d'un discours continu fondé sur un thème* unique, avait à l'origine pour fonction de manifester le talent déclamatoire du comédien et le talent oratoire et poétique de l'écrivain. Elle vise tant à informer qu'à persuader. La situation de Tartuffe amoureux est naturellement pitoyable. Toutefois, aucune des deux tirades du personnage, que ce soit celle de son aveu ou celle de sa défense, ne manifeste son désarroi. L'imposteur en use en comédien confirmé, avec un panache certain, quoique noir.

La tirade au service de l'imposteur

⑩ La culture de Tartuffe vient en aide à sa concupiscence. À quels textes fait-elle référence ? (Vous pouvez vous aider de l'avant-texte pour répondre.)
⑪ Étudiez l'argumentation de Tartuffe pour défendre son attitude dans la deuxième tirade.
⑫ Quel argument développé dans la fin de la deuxième tirade révèle des traits inquiétants du personnage (vers 175 à 178) ?
⑬ Étudiez l'emploi des pronoms personnels des vers 172 à 178. Que laissent-ils entendre sur la situation sociale du personnage ?
⑭ L'imposteur Tartuffe se confond dans cette scène avec le comédien Tartuffe : montrez comment, en vidant son langage de toute authenticité, il en souligne la vacuité.

* *Cf.* Lexique.

L'imposteur

Lectures croisées et travaux d'écriture

Tartuffe, dans la scène 3 de l'acte III, se révèle être l'hypocrite que décrivait Dorine dès la scène d'exposition*. Si son sentiment à l'égard d'Elmire le trahit et manifeste son imposture, sa capacité à mêler dévotion et sensualité souligne son exceptionnel talent de comédien. L'hypocrisie, étymologiquement « jeu théâtral », est aussi jeu social. La comédie du *Tartuffe* joue sur ce double sens pour caricaturer et dénoncer l'ascendant pris au XVIIe siècle par les directeurs de conscience et la Compagnie du Saint-Sacrement de l'Autel sur les riches bourgeois, les nobles et jusqu'à la Cour même. Il peut être intéressant de reconnaître cet aspect critique dans un autre genre littéraire et le courant esthétique qu'il illustre.

Mathurin Régnier, *Satires*

Dans ses* Satires *(1608-1613), inspirées par les poètes latins Horace et Juvénal, Mathurin Régnier (1573-1613) dénonce les ridicules de son siècle.
La satire XIII attaque l'hypocrisie. Une ancienne courtisane, Macette[1], devenue dévote, conseille à une jeune protégée d'adopter sa stratégie pour faire son chemin dans le monde.

Étant jeune, j'ai su bien user des plaisirs,
Ores[2] j'ai d'autres soins en semblables désirs;
Je veux passer mon temps et couvrir le mystère,
On trouve bien la cour dedans un monastère
Et après maint[3] essai enfin j'ai reconnu
Qu'un homme comme un autre est un moine tout nu.
Puis, outre le saint vœu qui sert de couverture,
Ils sont trop obligés au secret de nature[4],
Et savent, plus discrets, apporter en aimant,
Avec moins d'éclat[5] plus de contentement.
C'est pourquoi, déguisant les bouillons de mon âme,

* *Cf.* Lexique.

D'un long habit de cendre[6] enveloppant ma flamme,
Je cache mon dessein aux plaisirs adonné;
Le péché que l'on cache est demi-pardonné,
La faute seulement ne git en la défense,
Le scandale et l'opprobre est cause de l'offense;
Pourvu qu'on ne le sache, il n'importe comment,
Qui peut dire que l'on ne pèche nullement;
Puis la bonté du Ciel nos offenses surpasse:
Pourvu qu'on se confesse, on a toujours sa grâce.
Il donne quelque chose à notre passion;
Et qui, jeune, n'a pas grande dévotion,
Il faut que pour le monde à la feindre il s'exerce:
C'est entre les dévots un étrange commerce[7],
Un trafic par lequel, au joli temps qui court,
Toute affaire fâcheuse[8] est facile à la Cour.
Je sais bien que votre âge, encore jeune et tendre,
Ne peut ainsi que moi ces mystères comprendre;
Mais vous devriez, ma fille, en l'âge où je vous vois,
Être riche, contente, avoir fort bien de quoi,
Et pompeuse en habits, fine, accorte[9] et rusée,
Reluire de joyaux qu'une épousée.

Mathurin Régnier, *Œuvres complètes*. Les introuvables.

1. Macette: diminutif de Thomasse, nom ordinaire des courtisanes. **2. ores**: désormais. **3. maint**: plusieurs. **4. obligés au secret de nature**: liés au secret par leur état. **5. éclat**: bruit. **6. de cendre**: de couleur grise, celle de l'habit religieux, du dévot. **7. commerce**: relation. **8. fâcheuse**: embarrassante. **9. accorte**: habile.

Molière, *Dom Juan*

Dom Juan ou le Festin de pierre *de Molière fut représenté pour la première fois au théâtre du Palais-Royal le 15 février 1665. Le sujet était à la mode et sans doute le* Dom Juan *de l'Espagnol Tirso de Molina, quoique fort différent de celui de Molière, l'inspira. Il a pour cible un libertin grand seigneur: Dom Juan. Dans la scène 2 de l'acte V, tandis que Sganarelle, valet de Dom Juan, félicite son maître pour sa conversion, celui-ci lui en révèle la vraie nature.*

DOM JUAN. Il n'y a plus de honte maintenant à cela: l'hypocrisie est un vice à la mode, et tous les vices à la mode passent pour vertus. Le personnage d'homme de bien est le meilleur de tous les personnages qu'on puisse jouer aujourd'hui, et la profession d'hypocrite a de merveilleux avantages. C'est un art de qui l'imposture est toujours respectée; et quoiqu'on la découvre, on n'ose rien dire contre elle. Tous les autres vices des hommes sont exposés à la censure et chacun a la liberté de les attaquer hautement, mais l'hypocrisie est un vice privilégié, qui, de sa main, ferme la bouche à tout le monde, et jouit en repos d'une impunité souveraine. On lie, à force de grimaces, une société étroite avec tous les gens du parti. Qui en choque[1] un, se les jette tous sur les bras; et ceux que l'on sait même agir de bonne foi là-dessus, et que chacun connaît pour être véritablement touchés[2], ceux-là, dis-je, sont toujours les dupes des autres; ils donnent hautement dans le panneau des grimaciers, et appuient aveuglément les singes de leurs actions. Combien crois-tu que j'en connaisse qui, par ce stratagème, ont rhabillé adroitement les désordres de leur jeunesse, qui se sont fait un bouclier du manteau de la religion, et, sous cet habit respecté, ont la permission d'être les plus méchants hommes du monde ? On a beau savoir leurs intrigues et les connaître pour ce qu'ils sont, ils ne laissent pas pour cela d'être en crédit parmi les gens; et quelque baissement de tête, un soupir mortifié[3] et deux roulements d'yeux rajustent dans le monde tout ce qu'ils peuvent faire. C'est sous cet abri favorable que je veux me sauver, et mettre en sûreté mes affaires. Je ne quitterai point mes douces habitudes; mais j'aurai soin de me cacher et me divertirai à petit bruit. Que si je viens à être découvert, je verrai, sans me remuer, prendre mes intérêts à toute la cabale, et je serai défendu par elle envers et contre tous. Enfin c'est là le vrai moyen de faire impunément tout ce que je voudrai. Je m'érigerai en censeur des actions d'autrui, jugerai mal de tout le monde, et n'aurai bonne opinion que de moi. Dès qu'une fois on m'aura choqué tant soit peu, je ne pardonnerai jamais et garderai tout doucement une haine irréconciliable. Je ferai le vengeur des intérêts du Ciel, et, sous ce prétexte commode, je pousserai[4] mes ennemis, je les accuserai d'impiété et saurai déchaîner contre eux des zélés indiscrets[5], qui, sans connaissance de cause, crieront en public contre eux, qui les accableront d'injures, et les damneront hautement de leur autorité privée. C'est ainsi qu'il faut profiter des faiblesses des hommes, et qu'un sage esprit s'accommode aux vices de son siècle.

Molière, *Dom Juan*.

1. **choque**: offense. 2. **touchés**: touchés par la grâce. 3. **mortifié**: qui exprime le repentir. 4. **pousserai**: repousserai. 5. **indiscrets**: qui manquent de jugement.

Corpus

Texte A : Extrait de la scène 3 de l'acte III du *Tartuffe* de Molière (p. 127 v. 165 à v. 178).
Texte B : Extrait de la *Satire XIII* des *Œuvres complètes* de Mathurin Régnier (pp. 132-133).
Texte C : Extrait de la scène 2 de l'acte V de *Dom Juan* de Molière (pp. 133-134).

Examen des textes

❶ Étudiez le thème du masque dans le texte A.
❷ Mettez en évidence la rhétorique de la persuasion dans le texte B.
❸ Étudiez les procédés de l'ironie* dans le texte B.
❹ Comment, dans le texte C, la tirade de Dom Juan dénonce-t-elle le lien entre imposture et reconnaissance sociale ?

Travaux d'écriture

Question préliminaire
À quel courant esthétique se rattache une telle représentation du paraître et de l'être ?

Commentaire
Vous ferez un commentaire composé de la tirade de Dom Juan sur l'hypocrisie (texte C). Vous vous attacherez à montrer la théâtralité d'une telle attitude et le courant esthétique qu'elle illustre.

Dissertation
Le théâtre est par essence « hypocrisie ». En vous fondant sur les pièces de théâtre que vous avez lues ou vues, vous commenterez et discuterez ce point de vue. (Vous pourrez vous demander ce que signifient les mots « vérité » et « mensonge » au théâtre.)

Écriture d'invention
Cherchez un exemple d'hypocrite dans notre monde contemporain et donnez-lui la parole (dans un dialogue ou une lettre, à votre choix).

* *Cf.* Lexique.

Scène 4

DAMIS, ELMIRE, TARTUFFE

DAMIS, *sortant du petit cabinet[1] où il s'était retiré.*

Non, madame, non : ceci doit se répandre.
200 J'étais en cet endroit, d'où j'ai pu tout entendre ;
Et la bonté du Ciel m'y semble avoir conduit
Pour confondre l'orgueil d'un traître qui me nuit,
Pour m'ouvrir une voie à prendre la vengeance
De son hypocrisie et de son insolence,
205 À détromper mon père, et lui mettre en plein jour
L'âme d'un scélérat qui vous parle d'amour.

ELMIRE

Non, Damis : il suffit qu'il se rende plus sage,
Et tâche à mériter la grâce où je m'engage.
Puisque je l'ai promis, ne m'en dédites[2] pas.
210 Ce n'est point mon humeur de faire des éclats :
Une femme se rit de sottises pareilles,
Et jamais d'un mari n'en trouble les oreilles.

DAMIS

Vous avez vos raisons pour en user ainsi,
Et pour faire autrement j'ai les miennes aussi.
215 Le vouloir épargner est une raillerie ;
Et l'insolent orgueil de sa cagoterie[3]
N'a triomphé que trop de mon juste courroux,
Et que trop excité de désordres chez nous.
Le fourbe trop longtemps a gouverné mon père,

notes

1. **cabinet :** pièce retirée où l'on peut converser, ranger livres et papiers.

2. **ne m'en dédites pas :** ne m'obligez pas à me rétracter.

3. **cagoterie :** fausse dévotion.

220 Et desservi mes feux avec ceux de Valère.
Il faut que du perfide il soit désabusé,
Et le Ciel pour cela m'offre un moyen aisé.
De cette occasion je lui suis redevable,
Et pour la négliger, elle est trop favorable :
225 Ce serait mériter qu'il me la vînt ravir
Que de l'avoir en main et ne m'en pas servir.

ELMIRE

Damis…

DAMIS

Non, s'il vous plaît, il faut que je me croie[1].
Mon âme est maintenant au comble de sa joie ;
Et vos discours en vain prétendent m'obliger
230 À quitter le plaisir de me pouvoir venger.
Sans aller plus avant, je vais vuider d'affaire[2] ;
Et voici justement de quoi me satisfaire.

Scène 5

ORGON, DAMIS, TARTUFFE, ELMIRE

DAMIS

Nous allons régaler, mon père, votre abord[3]
D'un incident tout frais qui vous surprendra fort.
235 Vous êtes bien payé de toutes vos caresses,
Et monsieur d'un beau prix reconnaît vos tendresses.
Son grand zèle pour vous vient de se déclarer :
Il ne va pas à moins qu'à vous déshonorer ;

notes

1. il faut que je me croie : il faut que je fasse comme je le sens.

2. vuider l'affaire : en finir avec cette affaire.

3. abord : arrivée.

Et je l'ai surpris là qui faisait à madame
240 L'injurieux aveu d'une coupable flamme[1].
Elle est d'une humeur douce, et son cœur trop discret
Voulait à toute force en garder le secret;
Mais je ne puis flatter[2] une telle impudence[3]
Et crois que vous la taire est vous faire une offense.

ELMIRE

245 Oui, je tiens que jamais de tous ces vains propos
On ne doit d'un mari traverser[4] le repos,
Que ce n'est point de là que l'honneur peut dépendre
Et qu'il suffit pour nous de savoir nous défendre:
Ce sont mes sentiments; et vous n'auriez rien dit,
250 Damis, si j'avais eu sur vous quelque crédit.

Scène 6

ORGON, DAMIS, TARTUFFE

passage analysé

ORGON

Ce que je viens d'entendre, ô Ciel! est-il croyable?

TARTUFFE

Oui, mon frère, je suis un méchant, un coupable,
Un malheureux pécheur, tout plein d'iniquité[5],
Le plus grand scélérat qui jamais ait été;
255 Chaque instant de ma vie est chargé de souillures;
Elle n'est qu'un amas de crimes et d'ordures;
Et je vois que le Ciel, pour ma punition,
Me veut mortifier[6] en cette occasion.

notes

1. **flamme**: amour.
2. **flatter**: louer.
3. **impudence**: effronterie.
4. **traverser**: se mettre en travers, empêcher.
5. **iniquité**: injustice.
6. **mortifier**: humilier.

De quelque grand forfait[1] qu'on me puisse reprendre
260 Je n'ai garde d'avoir l'orgueil de m'en défendre.
Croyez ce qu'on vous dit, armez votre courroux[2],
Et comme un criminel chassez-moi de chez vous :
Je ne saurais avoir tant de honte en partage,
Que je n'en aie encor mérité davantage.

ORGON, *à son fils.*

265 Ah ! traître, oses-tu bien par cette fausseté
Vouloir de sa vertu ternir la pureté ?

DAMIS

Quoi ? la feinte douceur de cette âme hypocrite
Vous fera démentir... ?

ORGON

Tais-toi, peste maudite.

TARTUFFE

Ah ! laissez-le parler : vous l'accusez à tort,
270 Et vous ferez bien mieux de croire à son rapport.
Pourquoi sur un tel fait m'être si favorable ?
Savez-vous, après tout, de quoi je suis capable ?
Vous fiez-vous, mon frère, à mon extérieur ?
Et, pour tout ce qu'on voit, me croyez-vous meilleur ?
275 Non, non : vous vous laissez tromper à l'apparence,
Et je ne suis rien moins, hélas ! que ce qu'on pense ;
Tout le monde me prend pour un homme de bien ;
Mais la vérité pure est que je ne vaux rien.
(S'adressant à Damis.)
Oui, mon cher fils, parlez ; traitez-moi de perfide,
280 D'infâme, de perdu, de voleur, d'homicide ;

passage analysé

notes

1. **forfait** : faute.
2. **courroux** : colère.

Mise en scène de Roger Planchon, Théâtre de la Cité, Villeurbanne, 1964.

Accablez-moi de noms encor plus détestés :
Je n'y contredis point, je les ai mérités ;
Et j'en veux à genoux souffrir l'ignominie[1],
Comme une honte due aux crimes de ma vie.

ORGON, *à Tartuffe.*

285 Mon frère, c'en est trop.
(À son fils.)
Ton cœur ne se rend point,
Traître ?

DAMIS

Quoi ? ses discours vous séduiront[2] au point…

ORGON

Tais-toi, pendard[3].
(À Tartuffe.)
Mon frère, eh ! levez-vous, de grâce !
(À son fils.)
Infâme !

DAMIS

Il peut…

ORGON

Tais-toi.

DAMIS

J'enrage ! Quoi ? je passe…

ORGON

Si tu dis un seul mot, je te romprai les bras.

passage analysé

notes

1. **ignominie** : déshonneur.
2. **séduiront** : égareront.
3. **pendard** : vaurien.

TARTUFFE

290 Mon frère, au nom de Dieu, ne vous emportez pas.
J'aimerais mieux souffrir la peine la plus dure,
Qu'il eût reçu pour moi la moindre égratignure.

ORGON, *à son fils.*

Ingrat!

TARTUFFE

Laissez-le en paix[1]. S'il faut, à deux genoux,
Vous demander sa grâce…

ORGON, *se jetant à genoux, à Tartuffe.*

Hélas! vous moquez-vous?

(À son fils.)

295 Coquin[2]! vois sa bonté.

DAMIS

Donc…

ORGON

Paix!

DAMIS

Quoi? je…

ORGON

Paix! dis-je.

Je sais bien quel motif à l'attaquer t'oblige:
Vous le haïssez tous; et je vois aujourd'hui
Femme, enfants, et valets déchaînés contre lui;

passage analysé

notes

1. laissez-le en paix: le e s'élide afin de maintenir l'alexandrin du vers 293; prononcez « laissez l'en paix ».
2. Coquin: scélérat, escroc.

On met impudemment toute chose en usage,
300 Pour ôter de chez moi ce dévot personnage.
Mais plus on fait d'efforts afin de l'en bannir,
Plus j'en veux employer à l'y mieux retenir ;
Et je vais me hâter de lui donner ma fille,
Pour confondre[1] l'orgueil de toute ma famille.

DAMIS

305 À recevoir sa main on pense l'obliger ?

ORGON

Oui, traître, et dès ce soir, pour vous faire enrager.
Ah ! je vous brave tous, et vous ferai connaître
Qu'il faut qu'on m'obéisse et que je suis le maître.
Allons, qu'on se rétracte, et qu'à l'instant, fripon,
310 On se jette à ses pieds pour demander pardon.

DAMIS

Qui, moi ? de ce coquin, qui, par ses impostures…

ORGON

Ah ! tu résistes, gueux, et lui dis des injures ?
Un bâton ! un bâton !
(À Tartuffe.)
Ne me retenez pas.
(À son fils.)
Sus[2], que de ma maison on sorte de ce pas,
315 Et que d'y revenir on n'ait jamais l'audace.

DAMIS

Oui, je sortirai ; mais…

notes

1. **confondre** : mettre dans la confusion et réduire au silence.

2. **Sus** : allons.

ORGON

Vite, quittons la place.
Je te prive, pendard[1], de ma succession,
Et te donne de plus ma malédiction.

Scène 7

ORGON, TARTUFFE

ORGON

Offenser de la sorte une sainte personne !

TARTUFFE

320 Ô Ciel ! pardonne-lui la douleur qu'il me donne !
(À Orgon.)
Si vous pouviez savoir avec quel déplaisir,
Je vois qu'envers mon frère on tâche à me noircir...

ORGON

Hélas !

TARTUFFE

Le seul penser de cette ingratitude
Fait souffrir à mon âme un supplice si rude...
325 L'horreur que j'en conçois... J'ai le cœur si serré,
Que je ne puis parler, et crois que j'en mourrai.

ORGON

(Il court tout en larmes à la porte par où il a chassé son fils.)
Coquin ! je me repens que ma main t'ait fait grâce,
Et ne t'ait pas d'abord assommé sur la place.
Remettez-vous, mon frère, et ne vous fâchez pas.

passage analysé

note

1. **pendard** : vaurien.

Acte III, scène 7

TARTUFFE

330 Rompons[1], rompons le cours de ces fâcheux[2] débats.
Je regarde céans quels grands troubles j'apporte,
Et crois qu'il est besoin, mon frère, que j'en sorte.

ORGON

Comment? vous moquez-vous?

TARTUFFE

On m'y hait, et je voi
Qu'on cherche à vous donner des soupçons de ma foi[3].

ORGON

335 Qu'importe? Voyez-vous que mon cœur les écoute?

TARTUFFE

On ne manquera pas de poursuivre, sans doute;
Et ces mêmes rapports qu'ici vous rejetez
Peut-être une autre fois seront-ils écoutés.

ORGON

Non, mon frère, jamais.

TARTUFFE

Ah! mon frère, une femme
340 Aisément d'un mari peut bien surprendre[4] l'âme.

ORGON

Non, non.

TARTUFFE

Laissez-moi vite, en m'éloignant d'ici,
Leur ôter tout sujet de m'attaquer ainsi.

ORGON

Non, vous demeurerez: il y va de ma vie.

passage analysé

notes

1. **Rompons**: arrêtons.
2. **fâcheux**: importun.
3. **ma foi**: sur ma sincérité, ma franchise.
4. **surprendre**: tromper.

TARTUFFE

Hé bien ! il faudra donc que je me mortifie[1].
345 Pourtant, si vous vouliez…

ORGON

Ah !

TARTUFFE

Soit : n'en parlons plus.
Mais je sais comme il faut en user là-dessus.
L'honneur est délicat, et l'amitié m'engage
À prévenir les bruits et les sujets d'ombrage.
Je fuirai votre épouse, et vous ne me verrez…

ORGON

350 Non, en dépit de tous, vous la fréquenterez.
Faire enrager le monde est ma plus grande joie,
Et je veux qu'à toute heure avec elle on vous voie.
Ce n'est pas tout encor : pour les mieux braver tous,
Je ne veux point avoir d'autre héritier que vous,
355 Et je vais de ce pas, en fort bonne manière,
Vous faire de mon bien donation entière.
Un bon et franc ami, que pour gendre je prends,
M'est bien plus cher que fils, que femme, et que parents.
N'accepterez-vous pas ce que je vous propose ?

TARTUFFE

360 La volonté du Ciel soit faite en toute chose !

ORGON

Le pauvre homme ! Allons vite en dresser un écrit,
Et que puisse l'envie en crever de dépit !

passage analysé

note

1. **me mortifie** : m'humilie (m'impose une souffrance en restant ici).

Après la fille... l'héritage...

Lecture analytique des scènes 6 et 7 de l'acte III

La déclaration amoureuse de Tartuffe avait un témoin caché : Damis, le fils d'Orgon. Outré, il décide contre l'avis de sa belle-mère de dénoncer la trahison de Tartuffe à son père. Quelle sera la réaction d'Orgon, tout à la fois hôte et mari trahi ? Quelle sera la parade de Tartuffe ? Les scènes qui vont suivre présentent un intérêt dramatique*, celui de la péripétie*, qui devrait mettre fin à l'aveuglement d'Orgon et provoquer le rejet de Tartuffe.
Les deux scènes s'enchaînent au rythme des péripéties que suscite l'affrontement colérique Damis-Orgon. Si la virtuosité dramatique de Molière ne fait aucun doute, en revanche la tonalité* des deux scènes demeure ambiguë, tragi-comique. Le triomphe de l'Imposteur sur lequel s'achevait *Le Tartuffe* de 1664 fut accueilli autant par des grincements de dents que par des rires. Dans la version de 1669, la scène 7 de l'acte III perd son caractère définitif et, de ce fait, réduit l'effet pathétique*, mais pas au point de restaurer un effet comique* franc. Enfin Molière exploite la situation pour préciser la folie d'Orgon.

Des scènes de péripéties

Les péripéties apparaissent ordinairement dans une pièce classique au cours des actes II à IV. Ce sont des événements subits, destinés à provoquer soit des changements, soit une crise suivie du dénouement*. Premier coup de théâtre à la scène 6 : la réaction d'Orgon à l'accusation de Damis. Deuxième coup de théâtre : l'issue de la scène 7. Non seulement Orgon chasse et déshérite son fils, mais de plus il lui substitue pour héritier son « frère » Tartuffe.

* *Cf.* Lexique.

Coup de théâtre sur coup de théâtre

❶ Étudiez les différentes péripéties des deux scènes. Quelles en sont les étapes ?
❷ Comment les attitudes d'Orgon et de Tartuffe à la scène 6 servent-elles de « détonateur » à la scène 7 ?
❸ Tartuffe, au cours des deux scènes, oppose à l'échange de plus en plus violent d'Orgon et de son fils une parfaite égalité de ton et une attitude modeste, puis silencieuse. En quoi sont-elles utiles psychologiquement et dramatiquement ?
❹ Étudiez la ponctuation et les modalités* verbales. Quelle est la fonction privilégiée du langage dans la scène 6 ?

Une atmosphère tragi-comique

La situation initiale de la scène 6 est incertaine. Quoique les faits soient graves, Molière sait préserver le registre comique* depuis le procédé de la farce* jusqu'à celui de la parodie* : tandis que le premier privilégie l'immédiateté et la spontanéité des situations, des attitudes, des gestes et du langage, le second transforme en jeu intellectuel leur ambiguïté et leur polysémie.

Les différents comiques

❺ Peut-on parler d'un comique de situation dans les scènes 6 et 7 ? Justifiez votre réponse.
❻ Relevez les marques du comique de gestes dans la scène 6. À quel registre comique font-elles référence ?
❼ Le comique de mots : observez les apostrophes d'Orgon à Damis et à Tartuffe. Quels procédés syntaxiques accentuent l'effet comique ?
❽ Étudiez la réaction de Tartuffe à l'accusation de Damis. Quel effet produit-elle, selon vous, sur le lecteur/spectateur ?
❾ L'issue de la scène 7 mettait fin au premier *Tartuffe* de Molière. Demeure-t-elle dans la tonalité comique ?

* *Cf.* Lexique.

Acte III, scènes 6 et 7, pp. 138-146

La représentation d'une manie

L'exploitation de la situation et du langage à des fins comiques ne saurait masquer le résultat final : Tartuffe, l'imposteur, triomphe, contre toute attente rationnelle. Molière souligne et dénonce les dangers de la déraison, incarnés ici dans le personnage d'Orgon. Plus « tartuffié » que jamais, ce dernier, envoûté par les mensonges de son bien-aimé Tartuffe, oublie tout lien familial légitime.

La folie d'Orgon

⑩ En dépit de l'aveu habile de Tartuffe, Orgon n'est pas convaincu de sa culpabilité. Quelle raison, à votre avis, le pousse à nier l'évidence (vers 296 à 310) ?

⑪ Quelle attitude et quel langage adopte Orgon envers Damis dans la première partie de la scène 6 ? Trouvez un qualificatif appropié à son entêtement.

⑫ L'excès caractérise Orgon comme Damis. Étudiez-en les marques énonciatives*.

⑬ Étudiez le champ lexical* affectif des scènes 6 et 7. Que révèle-t-il sur la relation qui lie Orgon à Tartuffe ?

* *Cf.* Lexique.

Les maniaques de Molière

Lectures croisées et travaux d'écriture

La scène 7 de l'acte III devrait logiquement, après la mise en évidence de l'imposture de Tartuffe à la scène précédente, se clore sur sa défaite. Or, par un art maîtrisé de la péripétie et un rebondissement inattendu, elle signe son triomphe. Molière, en achevant ici son premier *Tartuffe* en 1664, diabolisait le personnage et blessait définitivement l'orgueil et la crédulité des grands bourgeois.

L'étude d'un caractère* est à « l'enjeu » dramatique ce que la scène d'exposition* est à sa dynamique. Molière puise autant dans les *saturae* (mélanges) latines que dans la commedia dell'arte*. Aux premiers, l'aveuglement d'Orgon emprunte la démesure ; à la seconde, l'aspect stéréotypé des personnages. Toutefois, le type* du maniaque se complexifie sous la plume de Molière : de *persona* (masque), il devient homme. En découvrant d'autres maniaques créés par le dramaturge, nous pourrons connaître la diversité de son registre comique et nous interroger sur l'ambiguïté même de tout classement, dans la mesure où le grotesque est apte à susciter les larmes aussi bien que le rire.

Molière, *L'Avare*

L'Avare *fut présenté au public sur la scène du Palais-Royal le 9 septembre 1668. Dans cette comédie écrite en prose comme* Dom Juan, *Molière caricature un avare en s'inspirant de la pièce latine de Plaute l'*Aulularia *(La Marmite). À la scène 7 de l'acte IV, le monologue de l'avare Harpagon – dont le nom signifie « crochet » – trahit le désespoir du maniaque, tout à la fois risible et pitoyable.*

HARPAGON

Il crie au voleur dès le jardin, et vient sans chapeau.

Au voleur ! au voleur ! à l'assassin ! au meurtrier ! Justice, juste Ciel ! je suis perdu, je suis assassiné, on m'a coupé la gorge, on m'a dérobé mon argent. Qui peut-ce être ? Qu'est-il devenu ? Où est-il ? Où se cache-t-il ? Que ferai-je pour le trouver ? Où courir ? Où ne pas courir ? N'est-il point là ? N'est-il

* *Cf.* Lexique.

point ici ? Qui est-ce ? Arrête. Rends-moi mon argent, coquin... *(Il se prend lui-même le bras.)* Ah ! c'est moi. Mon esprit est troublé, et j'ignore où je suis, qui je suis, et ce que je fais. Hélas ! mon pauvre argent, mon pauvre argent, mon cher ami ! on m'a privé de toi ; et puisque tu m'es enlevé, j'ai perdu mon support, ma consolation, ma joie ; tout est fini pour moi, et je n'ai plus que faire au monde : sans toi, il m'est impossible de vivre. C'en est fait, je n'en puis plus ; je me meurs, je suis mort, je suis enterré. N'y a-t-il personne qui veuille me ressusciter, en me rendant mon cher argent, ou en m'apprenant qui l'a pris ? Euh ? que dites-vous ? Ce n'est personne. Il faut, qui que ce soit qui ait fait le coup, qu'avec beaucoup de soin on ait épié l'heure ; et l'on a choisi justement le temps que je parlais à mon traître de fils. Sortons. Je veux aller quérir[1] la justice, et faire donner la question[2] à toute la maison : à servantes, à valets, à fils, à fille, et à moi aussi. Que de gens assemblés ! Je ne jette mes regards sur personne qui ne me donne des soupçons, et tout me semble mon voleur. Eh ! de quoi est-ce qu'on parle là ? De celui qui m'a dérobé ? Quel bruit fait-on là-haut ? Est-ce mon voleur qui y est ? De grâce, si l'on sait des nouvelles de mon voleur, je supplie que l'on m'en dise. N'est-il point caché là parmi vous ? Ils me regardent tous, et se mettent à rire. Vous verrez qu'ils ont part sans doute au vol que l'on m'a fait. Allons vite, des commissaires, des archers, des prévôts[3], des juges, des gênes[4], des potences[5] et des bourreaux. Je veux faire pendre tout le monde ; et si je ne retrouve mon argent, je me pendrai moi-même après.

Molière, *L'Avare*.

1. quérir : chercher. **2. faire donner la question** : torturer. **3. prévôts** : officier de justice. **4. gênes** : torture. **5. potence** : instrument de supplice pour la pendaison.

Molière, *Le Bourgeois gentilhomme*

Le Bourgeois gentilhomme, *joué pour la première fois à Chambord devant le Roi et la Cour, est une comédie-ballet qui ridiculise les prétentions nobiliaires du bourgeois monsieur Jourdain. Ce dernier prétend faire épouser à sa fille Lucile un gentilhomme. Faute de cette qualité, l'amoureux de Lucile, Cléonte, est éconduit. À la scène 3 de l'acte IV, Covielle, valet de Cléonte, annonce à monsieur Jourdain la visite du fils du Grand Turc – qui n'est autre que Cléonte – pour lui demander sa fille en mariage.*

COVIELLE. – Vous savez que le fils du Grand Turc est ici ?

M. JOURDAIN. – Moi ? Non.

COVIELLE. – Comment ? il a un train[1] tout à fait magnifique ; tout le monde le va voir, et il a été reçu en ce pays comme un seigneur d'importance.

M. JOURDAIN. – Par ma foi ! je ne savais pas cela.

COVIELLE. – Ce qu'il y a d'avantageux pour vous, c'est qu'il est amoureux de votre fille.

M. JOURDAIN. – Le fils du Grand Turc ?

COVIELLE. – Oui ; et il veut être votre gendre.

M. JOURDAIN. – Mon gendre, le fils du Grand Turc !

COVIELLE. – Le fils du Grand Turc votre gendre. Comme je le fus voir et que j'entends parfaitement sa langue, il s'entretint avec moi ; et, après quelques autres discours, il me dit : « *Acciam croc soler ouch alla moustaph gidelum amanabem varahini oussere carbulath* », c'est-à-dire : « N'as-tu point vu une jeune belle personne, qui est la fille de monsieur Jourdain, gentilhomme parisien ? »

M. JOURDAIN. – Le fils du Grand Turc dit cela de moi ?

COVIELLE. – Oui. Comme je lui eus répondu que je vous connaissais particulièrement, et que j'avais vu votre fille : « Ah ! me dit-il, *marababa sahem* » ; c'est-à-dire : « Ah ! que je suis amoureux d'elle ! »

M. JOURDAIN. – *Marababa sahem* veut dire : « Ah ! que je suis amoureux d'elle » ?

COVIELLE. – Oui.

M. JOURDAIN. – Par ma foi ! vous faites bien de me le dire, car pour moi je n'aurais jamais cru que *marababa sahem* eût voulu dire : « Ah ! que je suis amoureux d'elle ! » Voilà une langue admirable que ce turc !

COVIELLE. – Plus admirable qu'on ne peut croire. Savez-vous bien ce que veut dire *cacaracamouchen* ?

M. JOURDAIN. – *Cacaracamouchen* ? Non.

COVIELLE. – C'est-à-dire : « Ma chère âme ».

M. JOURDAIN. – *Cacaracamouchen* veut dire : « Ma chère âme » ?

COVIELLE. – Oui.

M. JOURDAIN. – Voilà qui est merveilleux ! *Cacaracamouchen*, « Ma chère âme ». Dirait-on jamais cela ? Voilà qui me confond.

COVIELLE. – Enfin, pour achever mon ambassade[2], il vient vous demander votre fille en mariage ; et pour avoir un beau-père qui soit digne de lui, il veut vous faire *Mamamouchi*, qui est une certaine grande dignité de son pays.

M. Jourdain. – *Mamamouchi* ?

Covielle. – Oui, *Mamamouchi* ; c'est-à-dire, en notre langue, paladin[3]. Paladin, ce sont de ces anciens... Paladin enfin. Il n'y a rien de plus noble que cela dans le monde, et vous irez de pair avec les plus grands seigneurs de la terre.

M. Jourdain. – Le fils du Grand Turc m'honore beaucoup, et je vous prie de me mener chez lui pour lui en faite mes remerciements.

Molière, *Le Bourgeois gentilhomme.*

1. **train** : ensemble de domestiques et équipage qui accompagnent une personne. 2. **ambassade** : mission. 3. **paladin** : de palatinus (officier du palais). Les Seigneurs de la suite de Charlemagne étaient appelés « paladins ».

Corpus

Texte A : Scène 6 de l'acte III du *Tartuffe (*p. 142 v. 293 à p. 143 v. 318).

Texte B : Scène 7 de l'acte IV de *L'Avare* (pp. 150-151).

Texte C : Scène 3 de l'acte IV du *Bourgeois gentilhomme* (pp. 151-153).

Examen des textes

❶ Justifiez par les extraits choisis les noms d'Orgon, d'Harpagon et le titre Le Bourgeois Gentilhomme (incarné par M. Jourdain).
❷ Orgon aspire à une reconnaissance. Or, non seulement sa manie l'en prive, mais elle parvient même, tout à l'inverse, à lui ôter tragiquement toute identité. Quelle figure de style souligne un tel préjudice ? (texte A)
❸ Étudiez le rythme et la modalisation* dans le monologue d'Harpagon. Quelle est leur fonction dramatique ? (texte B)
❹ De quelle tonalité – autre que comique – le double langage de Covielle colore-t-il son discours ? Justifiez votre réponse en vous appuyant sur le texte, et plus particulièrement sur les passages en italique. (texte C)

Travaux d'écriture

Question préliminaire

Pouvez-vous énoncer trois traits distincts, communs à chacun de ces personnages, qui justifient le qualificatif de « maniaque » ?

* *Cf.* Lexique.

Commentaire

Vous ferez un commentaire composé du monologue d'Harpagon. Vous vous interrogerez plus particulièrement sur la dynamique théâtrale du monologue et sur l'ambiguïté de son registre.

Dissertation

La Lettre sur l'Imposteur affirme que « *le ridicule est la forme extérieure et sensible que la providence de la nature a attachée à tout ce qui est déraisonnable* » et que le manquement aux convenances et aux bienséances en constitue l'essence. Vous illustrerez et discuterez cet avis à la lumière des différents « maniaques » de Molière que vous connaissez.

Écriture d'invention

Le rôle du furieux est tout autant tragique que comique comme en témoignent les héros Médée ou Oreste. À partir du portrait exécuté par Charles Le Brun, *La Colère*, daté de 1678, vous inventerez le monologue tragique d'un furieux.

***La Colère*, de Charles Le Brun, 1678.**

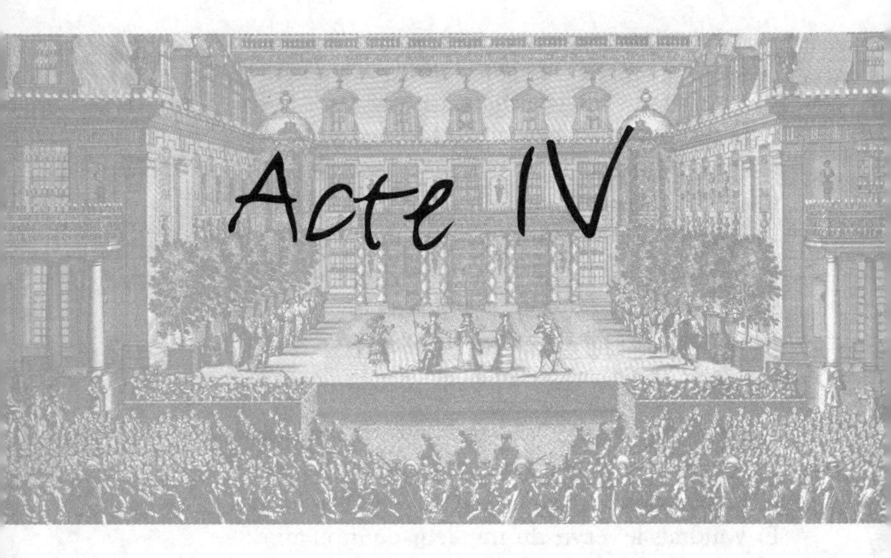

Scène 1

CLÉANTE, TARTUFFE

CLÉANTE

Oui, tout le monde en parle, et vous m'en pouvez croire,
L'éclat[1] que fait ce bruit n'est point à votre gloire ;
Et je vous ai trouvé, monsieur, fort à propos,
Pour vous en dire net ma pensée en deux mots.
5 Je n'examine point à fond ce qu'on expose ;
Je passe là-dessus, et prends au pis[2] la chose.
Supposons que Damis n'en ait pas bien usé,
Et que ce soit à tort qu'on vous ait accusé :
N'est-il pas d'un chrétien de pardonner l'offense,
10 Et d'éteindre en son cœur tout désir de vengeance ?

notes

1. **éclat**: scandale, bruit scandaleux.
2. **Je [...] prends au pis la chose**: je considère que la chose est très grave (au pire).

Et devez-vous souffrir, pour votre démêlé[3],
Que du logis d'un père un fils soit exilé ?
Je vous le dis encore, et parle avec franchise,
Il n'est petit ni grand qui ne s'en scandalise ;
15 Et si vous m'en croyez, vous pacifierez tout,
Et ne pousserez point les affaires à bout.
Sacrifiez à Dieu toute votre colère,
Et remettez le fils en grâce avec le père.

TARTUFFE

Hélas ! je le voudrais, quant à moi, de bon cœur :
20 Je ne garde pour lui, monsieur, aucune aigreur ;
Je lui pardonne tout, de rien je ne le blâme,
Et voudrais le servir du meilleur de mon âme ;
Mais l'intérêt du Ciel[1] n'y saurait consentir,
Et s'il rentre céans[2], c'est à moi d'en sortir.
25 Après son action, qui n'eut jamais d'égale,
Le commerce[3] entre nous porterait du scandale.
Dieu sait ce que d'abord tout le monde en croirait !
À pure politique[4] on me l'imputerait ;
Et l'on dirait partout que, me sentant coupable,
30 Je feins pour qui m'accuse un zèle charitable,
Que mon cœur l'appréhende et veut le ménager,
Pour le pouvoir sous main[5] au silence engager.

CLÉANTE

Vous nous payez ici d'excuses colorées[6],
Et toutes vos raisons, monsieur, sont trop tirées.
35 Des intérêts du Ciel pourquoi vous chargez-vous ?

notes

3. démêlé : dispute.
1. Ciel : Dieu.
2. céans : dans cette maison, ici.
3. commerce : relation.
4. À pure politique on me l'imputerait : on m'accuserait d'agir par pur calcul.
5. sous main : secrètement.
6. colorées : déguisées, artificielles.

Pour punir le coupable a-t-il besoin de nous ?
Laissez-lui, laissez-lui le soin de ses vengeances ;
Ne songez qu'au pardon qu'il prescrit des offenses ;
Et ne regardez point aux jugements humains,
40 Quand vous suivez du Ciel les ordres souverains.
Quoi ? le faible intérêt de ce qu'on pourra croire
D'une bonne action empêchera la gloire ?
Non, non : faisons toujours ce que le Ciel prescrit,
Et d'aucun autre soin ne nous brouillons l'esprit.

TARTUFFE

45 Je vous ai déjà dit que mon cœur lui pardonne,
Et c'est faire, monsieur, ce que le Ciel ordonne ;
Mais après le scandale et l'affront d'aujourd'hui,
Le Ciel n'ordonne pas que je vive avec lui.

CLÉANTE

Et vous ordonne-t-il, monsieur, d'ouvrir l'oreille
50 À ce qu'un pur caprice à son père conseille,
Et d'accepter le don qui vous est fait d'un bien
Où le droit vous oblige à ne prétendre rien ?

TARTUFFE

Ceux qui me connaîtront n'auront pas la pensée
Que ce soit un effet d'une âme intéressée.
55 Tous les biens de ce monde ont pour moi peu d'appas,
De leur éclat trompeur je ne m'éblouis pas ;
Et si je me résous à recevoir du père
Cette donation qu'il a voulu me faire,
Ce n'est, à dire vrai, que parce que je crains
60 Que tout ce bien ne tombe en de méchantes mains,
Qu'il ne trouve des gens qui, l'ayant en partage,
En fassent dans le monde un criminel usage,
Et ne s'en servent pas, ainsi que j'ai dessein,
Pour la gloire du Ciel et le bien du prochain.

CLÉANTE

65 Hé, monsieur, n'ayez point ces délicates craintes,
Qui d'un juste héritier peuvent causer les plaintes ;
Souffrez[1], sans vous vouloir embarrasser de rien,
Qu'il soit à ses périls[2] possesseur de son bien ;
Et songez qu'il vaut mieux encor qu'il en mésuse[3],
70 Que si de l'en frustrer il faut qu'on vous accuse.
J'admire[4] seulement que sans confusion
Vous en ayez souffert la proposition ;
Car enfin le vrai zèle a-t-il quelque maxime
Qui montre à dépouiller l'héritier légitime ?
75 Et s'il faut que le Ciel dans votre cœur ait mis
Un invincible obstacle à vivre avec Damis,
Ne vaudrait-il pas mieux qu'en personne discrète
Vous fissiez de céans une honnête retraite,
Que de souffrir ainsi, contre toute raison,
80 Qu'on en chasse pour vous le fils de la maison ?
Croyez-moi, c'est donner de votre prud'homie[5],
Monsieur…

TARTUFFE

Il est, monsieur, trois heures et demie :
Certain devoir pieux me demande là-haut,
Et vous m'excuserez de vous quitter sitôt.

CLÉANTE

85 Ah !

notes

1. **Souffrez** : permettez.
2. **à ses périls** : au risque de se perdre.
3. **en mésuse** : en use mal.
4. **J'admire** : je m'étonne.
5. **prud'homie** : probité.

Scène 2

ELMIRE, MARIANE, DORINE, CLÉANTE

DORINE, *à Cléante.*

De grâce, avec nous employez-vous pour elle,
Monsieur : son âme souffre une douleur mortelle ;
Et l'accord que son père a conclu pour ce soir
La fait, à tous moments, entrer en désespoir.
Il va venir. Joignons nos efforts, je vous prie,
90 Et tâchons d'ébranler, de force ou d'industrie[1],
Ce malheureux dessein qui nous a tous troublés.

Scène 3

ORGON, ELMIRE, MARIANE, CLÉANTE, DORINE

ORGON

Ha ! je me réjouis de vous voir assemblés :
(À Mariane.)
Je porte en ce contrat[2] de quoi vous faire rire,
Et vous savez déjà ce que cela veut dire.

MARIANE, *à genoux.*

95 Mon père, au nom du Ciel, qui connaît ma douleur,
Et par tout ce qui peut émouvoir votre cœur,
Relâchez-vous un peu des droits de la naissance[3],
Et dispensez mes vœux de cette obéissance,
Ne me réduisez point par cette dure loi

notes

1. **d'industrie** : avec ingéniosité.
2. **contrat** : il s'agit du contrat de mariage de Tartuffe et Mariane.
3. **des droits de la naissance** : droits du père sur ses enfants.

100 Jusqu'à me plaindre au Ciel de ce que je vous doi,
Et cette vie, hélas ! que vous m'avez donnée,
Ne me la rendez pas, mon père, infortunée.
Si, contre un doux espoir que j'avais pu former,
Vous me défendez d'être à ce que j'ose aimer,
105 Au moins, par vos bontés, qu'à vos genoux j'implore,
Sauvez-moi du tourment d'être à ce que j'abhorre[1],
Et ne me portez point à quelque désespoir,
En vous servant sur moi de tout votre pouvoir.

ORGON, *se sentant attendrir.*

Allons, ferme, mon cœur, point de faiblesse humaine.

MARIANE

110 Vos tendresses pour lui ne me font point de peine ;
Faites-les éclater, donnez-lui votre bien,
Et, si ce n'est assez, joignez-y tout le mien :
J'y consens de bon cœur, et je vous l'abandonne ;
Mais au moins n'allez pas jusques à ma personne,
115 Et souffrez qu'un couvent dans les austérités
Use les tristes jours que le Ciel m'a comptés.

ORGON

Ah ! voilà justement de mes religieuses,
Lorsqu'un père combat leurs flammes amoureuses !
Debout ! Plus votre cœur répugne à l'accepter,
120 Plus ce sera pour vous matière à mériter :
Mortifiez vos sens avec ce mariage,
Et ne me rompez pas la tête davantage.

DORINE

Mais quoi… ?

note

1. abhorre : déteste.

ORGON

Taisez-vous, vous ; parlez à votre écot[1] :
Je vous défends tout net d'oser dire un seul mot.

CLÉANTE

125 Si par quelque conseil vous souffrez qu'on réponde…

ORGON

Mon frère, vos conseils sont les meilleurs du monde,
Ils sont bien raisonnés, et j'en fais un grand cas ;
Mais vous trouverez bon que je n'en use pas.

ELMIRE, *à son mari.*

À voir ce que je vois, je ne sais plus que dire,
130 Et votre aveuglement fait que je vous admire :
C'est être bien coiffé[2], bien prévenu de lui[3],
Que de nous démentir sur le fait d'aujourd'hui.

ORGON

Je suis votre valet[4], et crois les apparences.
Pour mon fripon de fils je sais vos complaisances,
135 Et vous avez eu peur de le désavouer
Du trait[5] qu'à ce pauvre homme il a voulu jouer ;
Vous étiez trop tranquille enfin pour être crue,
Et vous auriez paru d'autre manière émue.

ELMIRE

Est-ce qu'au simple aveu d'un amoureux transport
140 Il faut que notre honneur se gendarme[6] si fort ?
Et ne peut-on répondre à tout ce qui le touche

notes

1. écot : dans une compagnie de convives, part qui doit être payée par chaque convive ; ici « *parlez à votre écot* » signifie « allez entretenir votre compagnie », autrement dit, au sens figuré, « mêlez-vous de vos affaires ».
2. coiffé : épris, entiché.
3. être […] bien prévenu de lui : être bien disposé envers lui.
4. Je suis votre valet : je ne partage pas votre avis.
5. trait : mauvais tour.
6. se gendarme : s'irrite.

Que le feu dans les yeux et l'injure à la bouche ?
Pour moi, de tels propos je me ris simplement,
Et l'éclat là-dessus ne me plaît nullement ;
145 J'aime qu'avec douceur nous nous montrions sages,
Et ne suis point du tout pour ces prudes[1] sauvages
Dont l'honneur est armé de griffes et de dents,
Et veut au moindre mot dévisager[2] les gens :
Me préserve le Ciel d'une telle sagesse !
150 Je veux une vertu qui ne soit point diablesse,
Et crois que d'un refus la discrète froideur
N'en est pas moins puissante à rebuter un cœur.

ORGON

Enfin je sais l'affaire et ne prends point le change[3].

ELMIRE

J'admire, encore un coup, cette faiblesse étrange,
155 Mais que me répondrait votre incrédulité
Si je vous faisais voir qu'on vous dit vérité ?

ORGON

Voir ?

ELMIRE

Oui.

ORGON

Chansons[4] !

ELMIRE

Mais quoi ? si je trouvais manière
De vous le faire voir avec pleine lumière ?

notes

1. **prudes :** personnes qui pratiquent la vertu de manière outrée.
2. **dévisager :** défigurer.
3. **je […] ne prends point le change :** je ne me laisse point tromper (terme de chasse qui désigne les chiens qui se lancent sur une fausse piste).
4. **Chansons :** sottises.

Acte IV, scène 3

ORGON

Contes en l'air !

ELMIRE

Quel homme ! Au moins répondez-moi.

160 Je ne vous parle pas de nous ajouter foi ;
Mais supposons ici que, d'un lieu qu'on peut prendre[1],
On vous fît clairement tout voir et tout entendre,
Que diriez-vous alors de votre homme de bien ?

ORGON

En ce cas, je dirais que… Je ne dirais rien,
165 Car cela ne se peut.

ELMIRE

L'erreur trop longtemps dure,
Et c'est trop condamner ma bouche d'imposture.
Il faut que par plaisir, et sans aller plus loin
De tout ce qu'on vous dit jc vous fassc témoin.

ORGON

Soit : je vous prends au mot. Nous verrons votre adresse,
170 Et comment vous pourrez remplir cette promesse.

ELMIRE, *à Dorine.*

Faites-le-moi venir.

DORINE

Son esprit est rusé,
Et peut-être à surprendre il sera malaisé.

ELMIRE

Non : on est aisément dupé par ce qu'on aime,

note

1. **prendre** : choisir.

Et l'amour-propre engage à se tromper soi-même.
175 Faites-le-moi descendre.
(Parlant à Cléante et à Mariane.)
Et vous, retirez-vous.

Scène 4

ELMIRE, ORGON

ELMIRE

Approchons cette table, et vous mettez dessous.

ORGON

Comment ?

ELMIRE

Vous bien cacher est un point nécessaire.

ORGON

Pourquoi sous cette table ?

ELMIRE

Ah, mon Dieu ! laissez faire :
J'ai mon dessein[1] en tête, et vous en jugerez.
180 Mettez-vous là, vous dis-je ; et quand vous y serez,
Gardez qu'on ne vous voie et qu'on ne vous entende.

ORGON

Je confesse qu'ici ma complaisance est grande ;
Mais de votre entreprise il vous faut voir sortir.

ELMIRE

Vous n'aurez, que je crois rien à me repartir[2].
(À son mari, qui est sous la table.)

notes

1. **dessein** : projet.

2. **repartir** : répliquer.

185 Au moins, je vais toucher une étrange matière :
Ne vous scandalisez en aucune manière.
Quoi que je puisse dire, il[1] doit m'être permis,
Et c'est pour vous convaincre, ainsi que j'ai promis.
Je vais par des douceurs, puisque j'y suis réduite,
190 Faire poser le masque à cette âme hypocrite,
Flatter de son amour les désirs effrontés,
Et donner un champ libre à ses témérités.
Comme c'est pour vous seul, et pour mieux le confondre,
Que mon âme à ses vœux va feindre de répondre,
195 J'aurai lieu de cesser dès que vous vous rendrez,
Et les choses n'iront que jusqu'où vous voudrez.
C'est à vous d'arrêter son ardeur insensée,
Quand vous croirez l'affaire assez avant poussée,
D'épargner votre femme, et de ne m'exposer
200 Qu'à ce qu'il vous faudra pour vous désabuser :
Ce sont vos intérêts[2] ; vous en serez le maître,
Et… L'on vient. Tenez-vous, et gardez de paraître.

Scène 5

TARTUFFE, ELMIRE, ORGON

passage analysé

TARTUFFE

On m'a dit qu'en ce lieu vous me vouliez parler.

ELMIRE

Oui. L'on a des secrets à vous y révéler.
205 Mais tirez cette porte avant qu'on vous les dise,
Et regardez partout, de crainte de surprise.
(Tartuffe va fermer la porte et revient.)

notes

1. **il** : cela.
2. **vos intérêts** : vos intérêts de mari.

Une affaire pareille à celle de tantôt,
N'est pas assurément ici ce qu'il nous faut.
Jamais il ne s'est vu de surprise de même[1];
210 Damis m'a fait pour vous une frayeur extrême,
Et vous avez bien vu que j'ai fait mes efforts
Pour rompre son dessein et calmer ses transports.
Mon trouble, il est bien vrai, m'a si fort possédée,
Que de le démentir je n'ai point eu l'idée;
215 Mais par là, grâce au Ciel, tout a bien mieux été,
Et les choses en sont dans plus de sûreté.
L'estime où l'on vous tient a dissipé l'orage,
Et mon mari de vous ne peut prendre d'ombrage.
Pour mieux braver l'éclat des mauvais jugements,
220 Il veut que nous soyons ensemble à tous moments;
Et c'est par où je puis, sans peur d'être blâmée,
Me trouver ici seule avec vous enfermée,
Et ce qui m'autorise à vous ouvrir un cœur
Un peu trop prompt peut-être à souffrir votre ardeur.

passage analysé

TARTUFFE

225 Ce langage à comprendre est assez difficile,
Madame, et vous parliez tantôt d'un autre style.

ELMIRE

Ah! si d'un tel refus vous êtes en courroux[2],
Que le cœur d'une femme est mal connu de vous!
Et que vous savez peu ce qu'il veut faire entendre
230 Lorsque si faiblement on le voit se défendre!
Toujours notre pudeur combat dans ces moments
Ce qu'on peut nous donner de tendres sentiments.
Quelque raison qu'on trouve à l'amour qui nous dompte,
On trouve à l'avouer toujours un peu de honte;

notes

1. **de même:** pareille.

2. **en courroux:** en colère.

235 On s'en défend d'abord; mais de l'air qu'on s'y prend
On fait connaître assez que notre cœur se rend,
Qu'à nos vœux par honneur notre bouche s'oppose,
Et que de tels refus promettent toute chose.
C'est vous faire sans doute un assez libre aveu,
240 Et sur notre pudeur me ménager bien peu;
Mais puisque la parole enfin en est lâchée,
À retenir Damis me serais-je attachée,
Aurais-je, je vous prie, avec tant de douceur
Écouté tout au long l'offre de votre cœur,
245 Aurais-je pris la chose ainsi qu'on m'a vu faire,
Si l'offre de ce cœur n'eût eu de quoi me plaire?
Et lorsque j'ai voulu moi-même vous forcer
À refuser l'hymen qu'on venait d'annoncer,
Qu'est-ce que cette instance[1] a dû vous faire entendre,
250 Que[2] l'intérêt qu'en vous on s'avise de prendre,
Et l'ennui qu'on aurait que ce nœud qu'on résout
Vînt partager du moins un cœur que l'on veut tout?

passage analysé

TARTUFFE

C'est sans doute, madame, une douceur extrême
Que d'entendre ces mots d'une bouche qu'on aime:
255 Leur miel dans tous mes sens fait couler à longs traits
Une suavité qu'on ne goûta jamais.
Le bonheur de vous plaire est ma suprême étude,
Et mon cœur de vos vœux[3] fait sa béatitude;
Mais ce cœur vous demande ici la liberté
260 D'oser douter un peu de sa félicité.
Je puis croire ces mots un artifice honnête
Pour m'obliger à rompre un hymen qui s'apprête;

notes

1. instance: insistance, prière.
2. Que: si ce n'est.
3. vos vœux: vos souhaits, c'est-à-dire votre amour.

Et s'il faut librement m'expliquer avec vous,
Je ne me fierai point à des propos si doux,
265 Qu'[1]un peu de vos faveurs, après quoi je soupire,
Ne vienne m'assurer tout ce qu'ils m'ont pu dire,
Et planter dans mon âme une constante foi[2]
Des charmantes bontés que vous avez pour moi.

ELMIRE *(Elle tousse pour avertir son mari.)*

Quoi ? vous voulez aller avec cette vitesse,
270 Et d'un cœur tout d'abord épuiser la tendresse ?
On se tue à vous faire un aveu des plus doux ;
Cependant ce n'est pas encore assez pour vous,
Et l'on ne peut aller jusqu'à[3] vous satisfaire,
Qu'aux dernières faveurs on ne pousse l'affaire[4] ?

TARTUFFE

275 Moins on mérite un bien, moins on l'ose espérer.
Nos vœux sur des discours ont peine à s'assurer.
On soupçonne aisément un sort tout plein de gloire,
Et l'on veut en jouir avant que de le croire.
Pour moi, qui crois si peu mériter vos bontés,
280 Je doute du bonheur de mes témérités ;
Et je ne croirai rien, que vous n'ayez, madame,
Par des réalités su convaincre ma flamme.

ELMIRE

Mon Dieu, que votre amour en vrai tyran agit,
Et qu'en un trouble étrange il me jette l'esprit !
285 Que sur les cœurs il prend un furieux empire,
Et qu'avec violence il veut ce qu'il désire !

passage analysé

notes

1. **Qu'** : à moins que.
2. **foi** : assurance indubitable.
3. **aller jusqu'à** : parvenir à.
4. **Qu'[...] on ne pousse l'affaire** : (« si l'on ne pousse pas ») si l'on ne nous accorde pas les dernières faveurs.

Quoi? de votre poursuite on ne peut se parer,
Et vous ne donnez pas le temps de respirer?
Sied-il[1] bien de tenir une rigueur si grande,
290 De vouloir sans quartier les choses qu'on demande,
Et d'abuser ainsi par vos efforts pressants
Du faible que pour vous vous voyez qu'ont les gens?

TARTUFFE

Mais si d'un œil bénin[2] vous voyez mes hommages,
Pourquoi m'en refuser d'assurés témoignages?

ELMIRE

295 Mais comment consentir à ce que vous voulez,
Sans offenser le Ciel, dont toujours vous parlez?

TARTUFFE

Si ce n'est que le Ciel qu'à mes vœux on oppose,
Lever un tel obstacle est à moi peu de chose,
Et cela ne doit pas retenir votre cœur.

ELMIRE

300 Mais des arrêts du Ciel[3] on nous fait tant de peur!

TARTUFFE

Je puis vous dissiper ces craintes ridicules,
Madame, et je sais l'art de lever les scrupules.
Le Ciel défend, de vrai, certains contentements;
(C'est un scélérat qui parle.)
Mais on trouve avec lui des accommodements;
305 Selon divers besoins, il est une science[4]

passage analyse

notes

1. **Sied-il**: convient-il.
2. **bénin**: bienveillant.
3. **arrêts du Ciel**: commandements du Ciel.
4. **science**: la direction d'intention selon la casuistique jésuite attaquée dans *Les Provinciales* de Pascal, 7e lettre (*cf.* « Les sources profanes », pp. 222 et 248).

D'étendre les liens de notre conscience,
Et de rectifier le mal de l'action
Avec la pureté de notre intention.
De ces secrets, madame, on saura vous instruire ;
310 Vous n'avez seulement qu'à vous laisser conduire.
Contentez mon désir, et n'ayez point d'effroi :
Je vous réponds de tout, et prends le mal sur moi.
(Elmire tousse plus fort.)
Vous toussez fort, madame.

ELMIRE

Oui, je suis au supplice.

TARTUFFE, *présentant à Elmire un cornet*[1] *de papier.*

Vous plaît-il un morceau de ce jus de réglisse ?

ELMIRE

315 C'est un rhume obstiné, sans doute ; et je vois bien
Que tous les jus du monde ici ne feront rien.

TARTUFFE

Cela certes est fâcheux.

ELMIRE

Oui, plus qu'on ne peut dire.

TARTUFFE

Enfin votre scrupule est facile à détruire :
Vous êtes assurée ici d'un plein secret,
320 Et le mal n'est jamais que dans l'éclat qu'on fait ;
Le scandale du monde est ce qui fait l'offense,
Et ce n'est pas pécher que pécher en silence.

passage analysé

note

1. **cornet** : papier roulé en forme de corne.

Acte IV, scène 5

ELMIRE, *après avoir encore toussé.*

Enfin je vois qu'il faut se résoudre à céder,
Qu'il faut que je consente à vous tout accorder,
325 Et qu'à moins de cela je ne dois point prétendre
Qu'on puisse être content, et qu'on veuille se rendre.
Sans doute il est fâcheux d'en venir jusque-là,
Et c'est bien malgré moi que je franchis cela ;
Mais puisque l'on s'obstine à m'y vouloir réduire,
330 Puisqu'on ne veut point croire à tout ce qu'on peut dire,
Et qu'on veut des témoins qui soient plus convaincants,
Il faut bien s'y résoudre, et contenter les gens.
Si ce consentement porte en soi quelque offense,
Tant pis pour qui me force à cette violence ;
335 La faute assurément n'en doit pas être à moi.

TARTUFFE

Oui, madame, on s'en charge, et la chose de soi…

ELMIRE

Ouvrez un peu la porte, et voyez, je vous prie,
Si mon mari n'est point dans cette galerie[1].

TARTUFFE

Qu'est-il besoin pour lui du soin que vous prenez ?
340 C'est un homme, entre nous, à mener par le nez ;
De tous nos entretiens il est pour faire gloire[2],
Et je l'ai mis au point de voir tout sans rien croire.

ELMIRE

Il n'importe : sortez, je vous prie, un moment,
Et partout, là-dehors voyez exactement.

passage analysé

notes

1. **galerie** : pièce large et couverte.

2. **pour faire gloire** : capable de se vanter.

Le stratagème d'Elmire

Lecture analytique de la scène 5 de l'acte IV

Devant l'aveuglement obstiné d'Orgon, Elmire à la scène 5 de l'acte IV, ne voit plus d'autre recours que de convoquer Tartuffe et de le confondre. De la réussite ou de l'échec de l'entreprise dépend désormais le sort de toute la famille, étant donné le statut d'héritier conféré à Tartuffe par Orgon.
L'intrigue parvient, de ce fait, à sa dernière étape dramatique* appelée « catastrophe* » et qui a pour fonction de préparer le dénouement*. Il importe donc de vérifier tout d'abord si la scène 5 de l'acte IV remplit convenablement cette fonction. La situation de communication dans laquelle sont placés Elmire et Tartuffe – celle du dialogue – répète celle de la scène 3 de l'acte III. Mais la répète-t-elle seulement ? En examinant ce second entretien, le lecteur/spectateur constate vite une inversion du rapport de forces qui finit par mettre physiquement Elmire à la merci de Tartuffe. Reste la présence secrète d'Orgon sous la table. Son silence rend sa situation plus grotesque que comique*.

Une « catastrophe »

Le troisième acte sur lequel s'achevait *Tartuffe* de 1664 en confondant « catastrophe » et « dénouement » dans le triomphe de l'imposteur rendait la satire insupportable à sa cible. Les vicissitudes de la cabale ont obligé Molière à distinguer les deux dans son *Tartuffe* de 1669. La « catastrophe » d'une pièce amène son dénouement, heureux dans une comédie* et malheureux dans une tragédie*. Elle constitue l'ultime péripétie de l'intrigue. La « catastrophe » de la scène 5 de l'acte IV, qui a pour fonction de le démasquer et de préfigurer la chute de l'imposteur, y parvient-elle effectivement ?

* *Cf.* Lexique.

Acte IV, scène 5, pp. 165-171

Une dynamique de la « catastrophe »

❶ Délimitez les différentes étapes de l'action. Quel indice lexical les souligne ?
❷ Comment l'évolution de l'attitude des personnages justifie-t-elle le qualificatif d'« ultime » péripétie ? Justifiez votre réponse en vous fondant plus particulièrement sur les vers 323 à 344.
❸ Devant combien de publics se joue cette scène ? Montrez qu'à cet égard, la présence de la table sur scène est capitale.
❹ À l'issue de cette scène, peut-on être certain de la chute de l'imposteur ?
❺ À quel moment Tartuffe se trahit-il ? Citez et commentez les vers qui l'accablent.

L'ingéniosité féminine

Après avoir vérifié que les différentes étapes de la scène illustrent le schéma de la catastrophe, il pourra être utile de montrer de quel stratagème use Elmire pour démasquer Tartuffe et pour « détartuffier » Orgon. Le dialogue Elmire-Tartuffe valorise l'ingéniosité féminine dont faisait déjà preuve Dorine à l'acte II et que Molière défendra dans plusieurs de ses pièces, notamment avec le personnage de Célimène dans *Le Misanthrope*. À quelles concessions devra se résoudre Elmire pour confondre un Tartuffe amoureux sans doute et pour sortir Orgon de son aveuglement ?

Le stratagème d'Elmire

❻ Montrez comment Elmire adapte ses propos aux réactions de Tartuffe et les oriente selon la situation.
❼ Les répliques à double entente servent-elles le dessein d'Elmire ? Justifiez votre réponse par des vers précis.
❽ À quel moment l'imposture spirituelle de Tartuffe se trahit-elle et par quel procédé rhétorique ?
❾ Elmire démasque Tartuffe sur le ton du pamphlet*. Montrez-le en étudiant les occurrences du mot « Ciel » au cours de leur dialogue.

* *Cf.* Lexique.

⑩ Quelle réflexion sur la condition féminine Molière fait-il entendre par la bouche d'Elmire et dans quelle intention ? (première et dernière tirades d'Elmire)

Un registre théâtral ambigu

La présence d'Orgon sous la table en fait le premier témoin et le premier juge de l'imposture de Tartuffe. La double énonciation* devrait le faire réagir. Cette situation des trois personnages peut être considérée comme à l'origine d'un des ressorts comiques des vaudevilles*, structurés sur le trio femme-mari-amant ou femme-mari-maîtresse. Toutefois, Tartuffe est un individu dangereux, captateur d'héritage, et imprévisible, dans la mesure où il est assujetti à son désir. Elmire prend de grands risques.

Elmire en danger

⑪ Quel sentiment Elmire utilise-t-elle stratégiquement et que pensez-vous de son attitude ?
⑫ Quels indices gestuels et verbaux nous rendent sensibles les difficultés d'Elmire ?
⑬ La dernière tirade d'Elmire exprime-t-elle un désarroi ou une impatience ? Justifiez votre réponse par l'usage qui est fait des pronoms.
⑮ Orgon demeure sans réaction sous la table. Pourquoi à votre avis ?
⑭ La galanterie de Tartuffe devient chantage puis menace. Quel vers nous le prouve ?
⑯ La scène est-elle, selon vous, plus comique que tragique ? Justifiez votre réponse.

* *Cf.* Lexique.

Le registre satirique

Lectures croisées et travaux d'écriture

La littérature peut, lorsqu'une cause le réclame, la servir sans s'y assujettir. Le registre satirique fournit alors de redoutables munitions comme en témoignent les *Mazarinades*, pamphlets et chansons, écrits contre le cardinal Mazarin du temps de La Fronde. La satire* se propose de stigmatiser les défauts ou les mœurs d'une personne, mais aussi d'une époque ou d'une institution.

Dans la scène 5 de l'acte IV, « les accommodements du Ciel » provoquent les rires du lecteur/spectateur. Mais la parodie* de la direction d'intention jésuite à laquelle se livre *Tartuffe* en fait une satire impitoyable.

La parodie devient pamphlet lorsque Blaise Pascal prend à son tour pour cible le laxisme jésuite dans *Les Provinciales*. Au XVIIIe siècle enfin, Montesquieu dénonce l'esclavage sur le mode ironique, qui consiste à faire comprendre le contraire de ce qui est dit explicitement. Par la dénonciation indirecte (décalage, allusions), l'ironie* accuse de ce fait la distance entre l'énoncé et l'énonciation*, voire l'incohérence. Elle sera très appréciée au XVIIIe siècle.

Blaise Pascal, *Les Provinciales*

Blaise Pascal (1623-1662) décide en janvier 1656 de mettre sa plume au service de la cause janséniste sur la demande d'Antoine Arnauld, directeur de Port-Royal. Il utilise la forme de la lettre-fictive, fort prisée dans les cercles mondains :* Les Provinciales *paraissent de janvier 1656 à mars 1657. Dans la septième lettre, la polémique porte sur la direction d'intention.

Puisque vous le prenez ainsi, me dit-il, je ne puis vous le refuser. Sachez donc que ce principe[1] merveilleux est notre grande méthode *de diriger l'intention*, dont l'importance est telle dans notre morale, que j'oserais quasi la comparer à la doctrine de la probabilité[2]. Vous avez vu quelques traits en passant, dans de certaines maximes[3] que je vous ai dites. Car,

* *Cf.* Lexique.

lorsque je vous ai fait entendre comment les valets peuvent faire en conscience de certains messages fâcheux, n'avez-vous pas pris garde que c'était seulement en détournant leur intention du mal dont ils sont les entremetteurs, pour la porter au gain qui leur en revient ? Voilà ce que c'est que *diriger l'intention.* Et vous avez vu de même que ceux qui donnent de l'argent pour des bénéfices[4] seraient de véritables simoniaques[5] sans une pareille diversion. Mais je veux maintenant vous faire voir cette grande méthode dans tout son lustre[6], sur le sujet de l'homicide, qu'elle justifie en mille rencontres, afin que vous jugiez, par un tel effet, tout ce qu'elle est capable de produire.

– Je vois déjà, lui dis-je, que par là tout sera permis, rien n'en n'échappera.

– Vous allez toujours d'une extrémité à l'autre, répondit le Père ; corrigez-vous de cela. Car, pour vous témoigner que nous ne permettons pas tout, sachez que, par exemple, nous ne souffrons jamais d'avoir l'intention formelle de pécher pour le seul dessein[7] de pécher ; et que quiconque s'obstine à borner son désir dans le mal pour le mal même, nous rompons avec lui ; cela est diabolique : voilà qui est sans exception d'âge, de sexe, de qualité. Mais quand on n'est pas dans cette malheureuse disposition, alors nous essayons de mettre en pratique notre méthode de *diriger l'intention*, qui consiste à se proposer pour fin de ses actions un objet permis. Ce n'est pas qu'autant qu'il est en notre pouvoir, nous ne détournions les hommes des choses défendues ; mais quand nous ne pouvons pas empêcher l'action, nous purifions au moins l'intention ; et ainsi nous corrigeons le vice du moyen par la pureté de la fin.

Voilà par où nos Pères ont trouvé moyen de permettre les violences qu'on pratique en défendant son honneur. Car il n'y a qu'à détourner son intention du désir de vengeance, qui est criminel, pour la porter au désir de défendre son honneur, qui est permis selon nos Pères. Et c'est ainsi qu'ils accomplissent tous leurs devoirs envers Dieu et envers les hommes. Car ils contentent le monde en permettant les actions ; et ils satisfont à l'Évangile en purifiant les intentions. Voilà ce que les anciens n'ont point connu ; voilà ce qu'on doit à nos Pères. Le comprenez-vous maintenant ?

Pascal, *Les Provinciales*, édition présentée, établie et annotée par M. Le Guern, Pléiade

1. **principe** : proposition première qui sert de base à un raisonnement, une attitude. 2. **doctrine de la probabilité** : selon cette doctrine, les pécheurs pouvaient invoquer pour prouver leur innocence toute opinion probable, c'est-à-dire défendue par un casuiste. 3. **maximes** : appréciations ou jugements d'ordre général. 4. **bénéfices** : patrimoine attaché à une fonction, à une dignité ecclésiastique. 5. **simoniaques** : la simonie consiste à vouloir acheter ou vendre à prix temporel une chose spirituelle. 6. **lustre** : éclat. 7. **dessein** : projet.

Montesquieu, *De l'Esprit des lois*

En 1748 paraît* De l'Esprit des lois, *œuvre de Charles-Louis de Secondat, baron de La Brède et de Montesquieu (1689-1755). La réflexion de l'auteur, qui porte sur tous les systèmes politiques alors connus, a nourri la réflexion politique moderne. Le texte se propose de comprendre et classer les institutions humaines. Dans « De l'esclavage des nègres » (XV, 5), il dénonce implacablement les pratiques esclavagistes.

De l'esclavage des nègres

Si j'avais à soutenir le droit que nous avons eu de rendre les nègres esclaves, voici ce que je dirais :

Les peuples d'Europe ayant exterminé ceux de l'Amérique, ils ont dû mettre en esclavage ceux de l'Afrique, pour s'en servir à défricher tant de terres.

Le sucre serait trop cher, si l'on ne faisait travailler la plante qui le produit par des esclaves.

Ceux dont il s'agit sont noirs depuis les pieds jusqu'à la tête ; et ils ont le nez si écrasé qu'il est presque impossible de les plaindre.

On ne peut se mettre dans l'esprit que Dieu, qui est un être très sage, ait mis une âme, surtout une âme bonne, dans un corps tout noir.

Il est si naturel de penser que c'est la couleur qui constitue l'essence de l'humanité, que les peuples d'Asie, qui font des eunuques, privent toujours les noirs du rapport qu'ils ont avec nous d'une façon plus marquée.

On peut juger de la couleur de la peau par celle des cheveux, qui, chez les Égyptiens, les meilleurs philosophes du monde, étaient d'une si grande conséquence, qu'ils faisaient mourir tous les hommes roux qui leur tombaient entre les mains.

Une preuve que les nègres n'ont pas le sens commun, c'est qu'ils font plus de cas d'un collier de verre que de l'or, qui, chez des nations policées, est d'une si grande conséquence.

Il est impossible que nous supposions que ces gens-là soient des hommes parce que, si nous les supposions des hommes, on commencerait à croire que nous ne sommes pas nous-mêmes chrétiens. De petits esprits exagèrent trop l'injustice que l'on fait aux Africains. Car, si elle était telle qu'ils le disent, ne serait-il pas venu dans la tête des princes d'Europe, qui font entre eux tant de conventions inutiles, d'en faire une générale en faveur de la miséricorde et de la pitié ?

Montesquieu, *De l'Esprit des lois* (XV, 5).

Corpus

Texte A : Extrait de la scène 5 de l'acte IV du *Tartuffe* de Molière (p. 169 v. 297 à p. 170 v. 322)
Texte B : Extrait des *Provinciales* de Pascal, (pp. 175-176)
Texte C : Extrait de *De l'Esprit des lois* (XV, 5) de Montesquieu (p. 177)

Examen des textes

❶ Relevez, dans le texte A, les procédés énonciatifs qui permettent de qualifier la tirade de Tartuffe de parodique (vers 301 au vers 313).
❷ Étudiez comment le propos et l'attitude attribués au jésuite par Pascal accentuent la portée satirique de l'extrait (texte B).
❸ Sur quelle forme de raisonnement s'appuie l'argumentation de Montesquieu ? (texte C)
❹ Si la seule tirade* de Tartuffe s'inscrit dans le registre* théâtral, les textes B et C pourraient être transposés au théâtre. Comment selon vous ?

Travaux d'écriture

Questions préliminaires
❶ Les auteurs des trois textes proposés manipulent le registre ironique avec virtuosité. Relevez dans chaque texte deux ou trois figures de style explicites.
❷ Peut-on qualifier les trois textes de polémiques* ? Lequel fait la plus violente satire ? Justifiez votre réponse.

Commentaire
Vous ferez le commentaire composé du texte B.

Dissertation
Vous commenterez et discuterez l'opinion suivante : « *Il n'est pas d'arme plus implacable contre tout travers humain que la satire.* » Vous pourrez avoir recours aux moralistes du XVIIe siècle pour répondre.

Écriture d'invention. En utilisant le registre satirique de votre choix, vous tenterez d'instruire le procès du fanatisme.

* *Cf.* Lexique.

Scène 6

ORGON, ELMIRE

ORGON, *sortant de dessous la table.*

345 Voilà, je vous l'avoue, un abominable homme !
Je n'en puis revenir, et tout ceci m'assomme[1].

ELMIRE

Quoi ? vous sortez sitôt ? vous vous moquez des gens.
Rentrez sous le tapis, il n'est pas encor temps ;
Attendez jusqu'au bout pour voir les choses sûres,
350 Et ne vous fiez point aux simples conjectures.

ORGON

Non, rien de plus méchant n'est sorti de l'enfer.

ELMIRE

Mon Dieu ! l'on ne doit point croire trop de léger[2].
Laissez-vous bien convaincre avant que de vous rendre,
Et ne vous hâtez point, de peur de vous méprendre.
(Elle fait mettre son mari derrière elle.)

Scène 7

TARTUFFE, ELMIRE, ORGON

TARTUFFE, *sans voir Orgon.*

355 Tout conspire, madame, à mon contentement :
J'ai visité de l'œil tout cet appartement ;
Personne ne s'y trouve ; et mon âme ravie…

notes

1. **assomme :** anéantit.
2. **de léger :** à la légère.

L'jmposteur.
ou
Le Tartuffe
Orgon.

ORGON, *en l'arrêtant.*

Tout doux ! vous suivez trop votre amoureuse envie,
Et vous ne devez pas vous tant passionner.
360 Ah ! Ah ! l'homme de bien, vous m'en voulez donner[1] !
Comme aux tentations s'abandonne votre âme !
Vous épousiez ma fille, et convoitiez ma femme !
J'ai douté fort longtemps que ce fût tout de bon,
Et je croyais toujours qu'on changerait de ton ;
365 Mais c'est assez avant pousser le témoignage :
Je m'y tiens, et n'en veux, pour moi, pas davantage.

ELMIRE, *à Tartuffe.*

C'est contre mon humeur que j'ai fait tout ceci ;
Mais on m'a mise au point de vous traiter ainsi.

TARTUFFE

Quoi ? vous croyez... ?

ORGON

Allons, point de bruit, je vous prie.
370 Dénichons[2] de céans, et sans cérémonie.

TARTUFFE

Mon dessein...

ORGON

Ces discours ne sont plus de saison :
Il faut, tout sur-le-champ, sortir de la maison.

TARTUFFE

C'est à vous d'en sortir, vous qui parlez en maître :
La maison m'appartient, je le ferai connaître[3],
375 Et vous montrerai bien qu'en vain on a recours,
Pour me chercher querelle, à ces lâches détours,

notes

1. **vous m'en voulez donner :** vous vouliez me duper.
2. **Dénichons :** sortons.
3. **je le ferai connaître :** j'en informerai la justice.

Qu'on n'est pas où l'on pense[1] en me faisant injure,
Que j'ai de quoi confondre et punir l'imposture,
Venger le Ciel qu'on blesse, et faire repentir
380 Ceux qui parlent ici de me faire sortir.

Scène 8

ELMIRE, ORGON

ELMIRE

Quel est donc ce langage ? et qu'est-ce qu'il veut dire ?

ORGON

Ma foi, je suis confus, et n'ai pas lieu de rire.

ELMIRE

Comment ?

ORGON

Je vois ma faute aux choses qu'il me dit,
Et la donation[2] m'embarrasse l'esprit.

ELMIRE

385 La donation ?…

ORGON

Oui, c'est une affaire faite.
Mais j'ai quelque autre chose encor qui m'inquiète.

ELMIRE

Et quoi ?

ORGON

Vous saurez tout. Mais voyons au plus tôt
Si certaine cassette est encore là-haut.

notes

1. **Qu'on n'est pas où l'on pense** : qu'on se trompe de situation.
2. **donation** : prononcer en diérèse : « do-na-ti-on » ; il s'agit du don qu'Orgon a fait gratuitement de son bien à Tartuffe (*cf.* vers 356, p. 146).

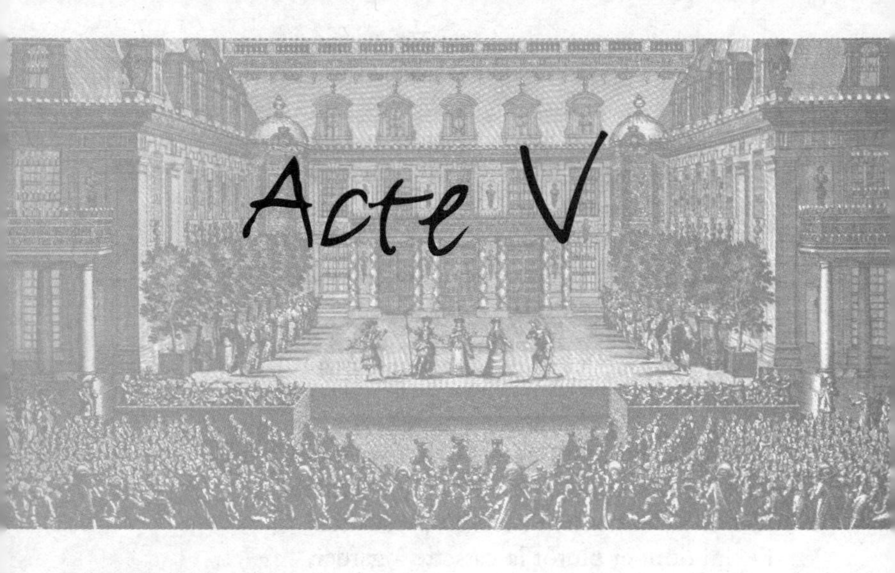

Scène 1

ORGON, CLÉANTE

CLÉANTE

Où voulez-vous courir ?

ORGON

Las ! que sais-je ?

CLÉANTE

Il me semble

Que l'on doit commencer par consulter ensemble
Les choses qu'on peut faire en cet événement.

ORGON

Cette cassette-là me trouble entièrement ;
5 Plus que le reste encor elle me désespère.

CLÉANTE

Cette cassette est donc un important mystère ?

ORGON

C'est un dépôt qu'Argas, cet ami que je plains[1],
Lui-même, en grand secret, m'a mis entre les mains :
Pour cela, dans sa fuite, il me voulut élire ;
10 Et ce sont des papiers, à ce qu'il m'a pu dire,
Où sa vie et ses biens se trouvent attachés.

CLÉANTE

Pourquoi donc les avoir en d'autres mains lâchés ?

ORGON

Ce fut par un motif de cas de conscience :
J'allai droit à mon traître en faire confidence ;
15 Et son raisonnement me vint persuader
De lui donner plutôt la cassette à garder,
Afin que, pour nier, en cas de quelque enquête,
J'eusse d'un faux-fuyant la faveur toute prête,
Par où ma conscience eût pleine sûreté
20 À faire des serments contre la vérité[2].

CLÉANTE

Vous voilà mal, au moins si j'en crois l'apparence ;
Et la donation, et cette confidence,
Sont, à vous en parler selon mon sentiment,
Des démarches par vous faites légèrement.
25 On peut vous mener loin avec de pareils gages ;
Et cet homme sur vous ayant ces avantages,
Le pousser[3] est encor grande imprudence à vous,
Et vous deviez[4] chercher quelque biais plus doux.

notes

1. plains : regrette.
2. vérité : Orgon peut mentir en toute impunité puisque celui qui détient la cassette est désormais Tartuffe ; c'est le procédé de la restriction mentale (énoncé dans la neuvième *Provinciale* de Pascal, voir « Les sources profanes », p. 222).
3. Le pousser : le pousser à bout.
4. deviez : auriez dû (l'imparfait de l'indicatif en latin marque l'irréel du passé).

ORGON

Quoi ? sous un beau semblant de ferveur si touchante
30 Cacher un cœur si double, une âme si méchante !
Et moi qui l'ai reçu gueusant[1] et n'ayant rien…
C'en est fait, je renonce à tous les gens de bien :
J'en aurai désormais une horreur effroyable,
Et m'en vais devenir pour eux pire qu'un diable.

CLÉANTE

35 Hé bien ! ne voilà pas de vos emportements !
Vous ne gardez en rien les doux tempéraments ;
Dans la droite raison jamais n'entre la vôtre,
Et toujours d'un excès vous vous jetez dans l'autre.
Vous voyez votre erreur, et vous avez connu
40 Que par un zèle[2] feint vous étiez prévenu[3] ;
Mais pour vous corriger, quelle raison demande
Que vous alliez passer dans une erreur plus grande,
Et qu'avecque[4] le cœur d'un perfide vaurien
Vous confondiez les cœurs de tous les gens de bien ?
45 Quoi ? parce qu'un fripon vous dupe avec audace
Sous le pompeux éclat d'une austère grimace,
Vous voulez que partout on soit fait comme lui,
Et qu'aucun vrai dévot ne se trouve aujourd'hui ?
Laissez aux libertins ces sottes conséquences ;
50 Démêlez la vertu d'avec ses apparences,
Ne hasardez jamais votre estime trop tôt,
Et soyez pour cela dans le milieu qu'il faut :
Gardez-vous, s'il se peut, d'honorer l'imposture,
Mais au vrai zèle aussi n'allez pas faire injure[5] ;

notes

1. **gueusant** : mendiant.
2. **zèle** : dévotion.
3. **prévenu** : favorablement disposé.
4. **avecque** : ancienne orthographe de l'adverbe « avec » qui subsiste jusqu'à la fin du XVIIe siècle et dont la prononciation est plus agréable à l'oreille.
5. **injure** : injustice.

55 Et s'il vous faut tomber dans une extrémité,
Péchez plutôt encor de cet autre côté.

Scène 2

DAMIS, ORGON, CLÉANTE

DAMIS

Quoi? mon père, est-il vrai qu'un coquin[1] vous menace?
Qu'il n'est point de bienfait qu'en son âme il n'efface,
Et que son lâche orgueil, trop digne de courroux,
60 Se fait de vos bontés des armes contre vous?

ORGON

Oui, mon fils, et j'en sens des douleurs non pareilles.

DAMIS

Laissez-moi, je lui veux couper les deux oreilles:
Contre son insolence on ne doit point gauchir[2],
C'est à moi, tout d'un coup, de vous en affranchir,
65 Et pour sortir d'affaire, il faut que je l'assomme.

CLÉANTE

Voilà tout justement parler en vrai jeune homme.
Modérez, s'il vous plaît, ces transports éclatants:
Nous vivons sous un règne[3] et sommes dans un temps
Où par la violence on fait mal ses affaires.

notes

1. **coquin**: scélérat, escroc.
2. **gauchir**: fléchir.
3. **règne**: voir « contexte historique et politique, p. 12.

Scène 3

MADAME PERNELLE, MARIANE, ELMIRE,
DORINE, DAMIS, ORGON, CLÉANTE

MADAME PERNELLE

70 Qu'est-ce ? J'apprends ici de terribles mystères.

ORGON

Ce sont des nouveautés dont mes yeux sont témoins,
Et vous voyez le prix dont sont payés mes soins.
Je recueille avec zèle un homme en sa misère,
Je le loge, et le tiens comme mon propre frère ;
75 De bienfaits chaque jour il est par moi chargé ;
Je lui donne ma fille et tout le bien que j'ai ;
Et, dans le même temps, le perfide, l'infâme,
Tente le noir dessein de suborner[1] ma femme,
Et non content encor de ces lâches essais,
80 Il m'ose menacer de mes propres bienfaits,
Et veut, à[2] ma ruine, user des avantages
Dont le viennent d'armer mes bontés trop peu sages,
Me chasser de mes biens, où je l'ai transféré[3],
Et me réduire au point d'où je l'ai retiré.

DORINE

85 Le pauvre homme !

MADAME PERNELLE

Mon fils, je ne puis du tout croire
Qu'il ait voulu commettre une action si noire.

ORGON

Comment ?

notes

| 1. **suborner** : séduire. | 2. **à** : pour. | 3. **transféré** : transmis (dont je l'ai fait propriétaire).

MADAME PERNELLE

Les gens de bien sont enviés toujours.

ORGON

Que voulez-vous donc dire avec votre discours,
Ma mère ?

MADAME PERNELLE

Que chez vous on vit d'étrange sorte,
90 Et qu'on ne sait que trop la haine qu'on lui porte.

ORGON

Qu'a cette haine à faire avec ce qu'on vous dit ?

MADAME PERNELLE

Je vous l'ai dit cent fois quand vous étiez petit :
La vertu dans le monde est toujours poursuivie ;
Les envieux mourront, mais non jamais l'envie.

ORGON

95 Mais que fait ce discours aux choses d'aujourd'hui ?

MADAME PERNELLE

On vous aura forgé cent sots contes de lui.

ORGON

Je vous ai dit déjà que j'ai vu tout moi-même.

MADAME PERNELLE

Des esprits médisants la malice est extrême.

ORGON

Vous me feriez damner, ma mère. Je vous di[1]
100 Que j'ai vu de mes yeux un crime si hardi.

note

1. di : orthographe étymologique pour les besoins de la rime.

MADAME PERNELLE

Les langues ont toujours du venin à répandre,
Et rien n'est ici-bas qui s'en puisse défendre.

ORGON

C'est tenir un propos de sens bien dépourvu.
Je l'ai vu, dis-je, vu, de mes propres yeux vu,
105 Ce qu'on appelle vu : faut-il vous le rebattre
Aux oreilles cent fois, et crier comme quatre ?

MADAME PERNELLE

Mon Dieu, le plus souvent l'apparence déçoit[1] :
Il ne faut pas toujours juger sur ce qu'on voit.

ORGON

J'enrage.

MADAME PERNELLE

Aux faux soupçons la nature est sujette,
110 Et c'est souvent à mal que le bien s'interprète.

ORGON

Je dois interpréter à charitable soin
Le désir d'embrasser ma femme ?

MADAME PERNELLE

Il est besoin,
Pour accuser les gens, d'avoir de justes causes ;
Et vous deviez[2] attendre à vous voir sûr des choses.

ORGON

115 Hé, diantre ! le moyen de m'en assurer mieux ?
Je devais donc, ma mère, attendre qu'à mes yeux
Il eût... Vous me feriez dire quelque sottise.

notes

1. **déçoit :** trompe.

2. **deviez :** auriez dû.

MADAME PERNELLE

Enfin d'un trop pur zèle on voit son âme éprise ;
Et je ne puis du tout me mettre dans l'esprit
120 Qu'il ait voulu tenter les choses que l'on dit.

ORGON

Allez, je ne sais pas, si vous n'étiez ma mère,
Ce que je vous dirais, tant je suis en colère.

DORINE, *à Orgon.*

Juste retour, monsieur, des choses d'ici-bas :
Vous ne vouliez point croire, et l'on ne vous croit pas.

CLÉANTE

125 Nous perdons des moments en bagatelles pures,
Qu'il faudrait employer à prendre des mesures.
Aux[1] menaces du fourbe on doit ne dormir point.

DAMIS

Quoi ? son effronterie irait jusqu'à ce point ?

ELMIRE

Pour moi, je ne crois pas cette instance[2] possible,
130 Et son ingratitude est ici trop visible.

CLÉANTE

Ne vous y fiez pas : il aura des ressorts
Pour donner contre vous raison à ses efforts ;
Et sur moins que cela, le poids d'une cabale[3]
Embarrasse les gens dans un fâcheux dédale.
135 Je vous le dis encor : armé de ce qu'il a,
Vous ne deviez jamais le pousser jusque-là.

notes

1. **Aux** : devant, contre.
2. **instance** : poursuite en justice.
3. **cabale** : intrigue ; allusion à la cabale des dévots (voir « Genèse et circonstances de publication », p. 222).

ORGON

Il est vrai ; mais qu'y faire ? À[1] l'orgueil de ce traître,
De mes ressentiments je n'ai pas été maître.

CLÉANTE

Je voudrais, de bon cœur, qu'on pût entre vous deux
140 De quelque ombre de paix raccommoder les nœuds[2].

ELMIRE

Si j'avais su qu'en main il a de telles armes,
Je n'aurais pas donné matière à tant d'alarmes,
Et mes…

ORGON, *à Dorine, voyant entrer M. Loyal.*

Que veut cet homme ? Allez tôt[3] le savoir.
Je suis bien en état que l'on me vienne voir !

Scène 4

MONSIEUR LOYAL, MADAME PERNELLE, ORGON,
DAMIS, MARIANE, DORINE, ELMIRE, CLÉANTE

MONSIEUR LOYAL

145 Bonjour, ma chère sœur[4], faites, je vous supplie,
Que je parle à monsieur.

DORINE

Il est en compagnie,
Et je doute qu'il puisse à présent voir quelqu'un.

notes

1. **À** : devant.
2. **raccommoder les nœuds** : rétablir des rapports paisibles.
3. **tôt** : vite.
4. **sœur** : forme de salutation religieuse utilisée par les dévots entre eux.

MONSIEUR LOYAL

Je ne suis pas pour être en ces lieux importun.
Mon abord n'aura rien, je crois, qui lui déplaise ;
150 Et je viens pour un fait dont il sera bien aise.

DORINE

Votre nom ?

MONSIEUR LOYAL

Dites-lui seulement que je vien[1]
De la part de monsieur Tartuffe, pour son bien.

DORINE, *à Orgon.*

C'est un homme qui vient, avec douce manière,
De la part de monsieur Tartuffe, pour affaire
155 Dont vous serez, dit-il, bien aise.

CLÉANTE, *à Orgon.*

Il vous faut voir
Ce que c'est que cet homme, et ce qu'il peut vouloir.

ORGON

Pour nous raccommoder il vient ici peut-être :
Quels sentiments aurai-je à lui faire paraître ?

CLÉANTE

Votre ressentiment ne doit point éclater ;
160 Et s'il parle d'accord, il le faut écouter.

MONSIEUR LOYAL, *à Orgon.*

Salut, monsieur. Le Ciel perde qui vous veut nuire,
Et vous soit favorable autant que je désire !

note

1. **vien** : rime pour l'œil.

ORGON, *bas à Cléante.*

Ce doux début s'accorde avec mon jugement,
Et présage déjà quelque accommodement.

MONSIEUR LOYAL

165 Toute votre maison m'a toujours été chère,
Et j'étais serviteur de monsieur votre père.

ORGON

Monsieur, j'ai grande honte et demande pardon
D'être sans vous connaître ou savoir votre nom.

MONSIEUR LOYAL

Je m'appelle Loyal, natif de Normandie,
170 Et suis huissier à verge[1], en dépit de l'envie.
J'ai depuis quarante ans, grâce au Ciel, le bonheur
D'en exercer la charge avec beaucoup d'honneur;
Et je vous viens, monsieur, avec votre licence[2],
Signifier l'exploit[3] de certaine ordonnance[4]...

ORGON

175 Quoi? vous êtes ici...?

MONSIEUR LOYAL

Monsieur, sans passion:
Ce n'est rien seulement qu'une sommation[5],
Un ordre de vuider[6] d'ici, vous et les vôtres,
Mettre vos meubles hors, et faire place à d'autres,
Sans délai ni remise, ainsi que besoin est...

ORGON

180 Moi, sortir de céans?

notes

1. **huissier à verge:** baguette ou verge que l'huissier porte à la main dans ses fonctions. Il en touche ceux qu'il saisit.
2. **licence:** permission.
3. **exploit:** acte de saisie.
4. **ordonnance:** décision du juge.
5. **sommation:** invitation impérative.
6. **vuider:** vider les lieux, évacuer.

MONSIEUR LOYAL

Oui, monsieur, s'il vous plaît.
La maison à présent, comme savez de reste,
Au bon monsieur Tartuffe appartient sans conteste.
De vos biens désormais il est maître et seigneur,
En vertu d'un contrat duquel je suis porteur :
185 Il est en bonne forme, et l'on n'y peut rien dire.

DAMIS, *à M. Loyal.*

Certes cette impudence[1] est grande, et je l'admire.

MONSIEUR LOYAL

Monsieur, je ne dois point avoir affaire à vous ;
C'est à monsieur : il est et raisonnable et doux
Et d'un homme de bien il sait trop bien l'office[2],
190 Pour se vouloir du tout opposer à justice.

ORGON

Mais…

MONSIEUR LOYAL

Oui, monsieur, je sais que pour un million
Vous ne voudriez pas faire rébellion,
Et que vous souffrirez, en honnête personne,
Que j'exécute ici les ordres qu'on me donne.

DAMIS

195 Vous pourriez bien ici sur votre noir jupon[3],
Monsieur l'huissier à verge, attirer le bâton.

notes

1. **impudence** : effronterie.
2. **office** : devoir.
3. **jupon** : robe ou pourpoint de l'huissier, c'est-à-dire la partie du vêtement masculin qui couvrait le torse jusqu'au-dessous de la ceinture.

MONSIEUR LOYAL

Faites que votre fils se taise ou se retire,
Monsieur. J'aurais regret d'être obligé d'écrire,
Et de vous voir couché dans mon procès-verbal.

DORINE, *à part.*

200 Ce monsieur Loyal porte un air bien déloyal !

MONSIEUR LOYAL

Pour tous les gens de bien j'ai de grandes tendresses,
Et ne me suis voulu, monsieur, charger des pièces[1]
Que pour vous obliger et vous faire plaisir,
Que pour ôter par là le moyen d'en choisir
205 Qui[2], n'ayant pas pour vous le zèle qui me pousse,
Auraient pu procéder d'une façon moins douce.

ORGON

Et que peut-on de pis que d'ordonner aux gens
De sortir de chez eux ?

MONSIEUR LOYAL

On vous donne du temps,
Et jusques à demain je ferai surséance[3]
210 À l'exécution, monsieur, de l'ordonnance.
Je viendrai seulement passer ici la nuit,
Avec dix de mes gens, sans scandale et sans bruit.
Pour la forme, il faudra, s'il vous plaît, qu'on m'apporte,
Avant que se coucher, les clefs de votre porte.
215 J'aurai soin de ne pas troubler votre repos,
Et de ne rien souffrir[4] qui ne soit à propos.
Mais demain, du matin, il vous faut être habile

notes

1. **pièces** : ordres écrits.
2. **d'en choisir qui** : de choisir d'autres huissiers qui.
3. **je ferai surséance** : je vous donne un sursis, j'attendrai jusqu'à demain (du verbe « surseoir »).
4. **souffrir** : tolérer, supporter.

À[1] vuider de céans jusqu'au moindre ustensile :
Mes gens vous aideront, et je les ai pris forts,
220 Pour vous faire service à tout mettre dehors.
On n'en peut pas user mieux que je fais, je pense ;
Et comme je vous traite avec grande indulgence,
Je vous conjure aussi, monsieur, d'en user bien,
Et qu'au dû de ma charge on ne me trouble en rien.

ORGON, *à part.*

225 Du meilleur de mon cœur je donnerais sur l'heure
Les cent plus beaux louis de ce qui me demeure,
Et pouvoir[2], à plaisir, sur ce mufle assener
Le plus grand coup de poing qui se puisse donner.

CLÉANTE, *bas à Orgon.*

Laissez, ne gâtons rien.

DAMIS

À[3] cette audace étrange
230 J'ai peine à me tenir, et la main me démange.

DORINE

Avec un si bon dos, ma foi, monsieur Loyal,
Quelques coups de bâton ne vous siéraient pas mal.

MONSIEUR LOYAL

On pourrait bien punir ces paroles infâmes,
Mamie, et l'on décrète aussi contre[4] les femmes.

CLÉANTE

235 Finissons tout cela, monsieur : c'en est assez ;
Donnez tôt ce papier, de grâce, et nous laissez.

notes

1. habile à : prêt à.
2. pouvoir : si je pouvais.
3. À : devant.
4. décrète [...] contre : lance des décrets contre (actes de loi, mandats d'arrêt, « *donner à des sergents le droit d'emprisonner une personne* »).

MONSIEUR LOYAL

Jusqu'au revoir. Le Ciel vous tienne tous en joie !

ORGON

Puisse-t-il te confondre[1], et celui qui t'envoie !

Scène 5

ORGON, CLÉANTE, MARIANE, ELMIRE,
MADAME PERNELLE, DORINE, DAMIS

ORGON

Hé bien, vous le voyez, ma mère, si j'ai droit[2],
240 Et vous pouvez juger du reste par l'exploit :
Ses trahisons enfin vous sont-elles connues ?

MADAME PERNELLE

Je suis toute ébaubie[3], et je tombe des nues !

DORINE

Vous vous plaignez à tort, à tort vous le blâmez,
Et ses pieux desseins par là sont confirmés :
245 Dans l'amour du prochain, sa vertu se consomme[4] ;
Il sait que très souvent les biens corrompent l'homme,
Et par charité pure, il veut vous enlever
Tout ce qui vous peut faire obstacle à vous sauver.

ORGON

Taisez-vous : c'est le mot qu'il vous faut toujours dire.

notes

1. **confondre** : réduire au silence.
2. **droit** : raison.
3. **ébaubie** : rendue bègue d'étonnement, étourdie.
4. **se consomme** : s'accomplit.

CLÉANTE, *à Orgon.*

250 Allons voir quel conseil[1] on doit vous faire élire[2].

ELMIRE

Allez faire éclater l'audace de l'ingrat.
Ce procédé[3] détruit la vertu[4] du contrat ;
Et sa déloyauté va paraître trop noire,
Pour souffrir qu'il en ait le succès qu'on veut croire.

Scène 6

VALÈRE, ORGON, CLÉANTE, ELMIRE, MARIANE,
MADAME PERNELLE, DAMIS, DORINE

VALÈRE

255 Avec regret, monsieur, je viens vous affliger ;
Mais je m'y vois contraint par le pressant danger.
Un ami, qui m'est joint d'une amitié fort tendre,
Et qui sait l'intérêt qu'en vous j'ai lieu de prendre,
À violé pour moi, par un pas[5] délicat,
260 Le secret que l'on doit aux affaires d'État,
Et me vient d'envoyer un avis dont la suite
Vous réduit au parti d'une soudaine fuite.
Le fourbe qui longtemps a pu vous imposer[6]
Depuis une heure au Prince[7] a su vous accuser,
265 Et remettre en ses mains, dans les traits qu'il vous jette[8],
D'un criminel d'État l'importante cassette,
Dont, au mépris, dit-il, du devoir d'un sujet,
Vous avez conservé le coupable secret.

notes

1. conseil : avis, décision.
2. élire : choisir.
3. procédé : procédure.
4. vertu : validité, valeur.
5. pas : démarche.
6. imposer : tromper.
7. Prince : Roi.
8. dans les traits qu'il vous jette : pour les coups qu'il porte contre vous.

J'ignore le détail du crime qu'on vous donne ;
270 Mais un ordre est donné contre votre personne ;
Et lui-même est chargé, pour mieux l'exécuter,
D'accompagner celui qui vous doit arrêter.

CLÉANTE

Voilà ses droits armés ; et c'est par où le traître
De vos biens qu'il prétend[1] cherche à se rendre maître.

ORGON

275 L'homme est, je vous l'avoue, un méchant animal !

VALÈRE

Le moindre amusement[2] vous peut être fatal.
J'ai, pour vous emmener, mon carrosse à la porte,
Avec mille louis qu'ici je vous apporte.
Ne perdons point de temps : le trait est foudroyant,
280 Et ce sont de ces coups que l'on pare en fuyant.
À vous mettre en lieu sûr je m'offre pour conduite[3],
Et veux accompagner jusqu'au bout votre fuite.

ORGON

Las ! que ne dois-je point à vos soins obligeants !
Pour vous en rendre grâce il faut un autre temps[4] ;
285 Et je demande au Ciel de m'être assez propice[5],
Pour reconnaître un jour ce généreux service.
Adieu : prenez le soin, vous autres…

CLÉANTE

Allez tôt :
Nous songerons, mon frère, à faire ce qu'il faut.

notes

1. qu'il prétend : sur lesquels il a des prétentions.
2. amusement : perte de temps (du verbe « muser » qui signifie perdre son temps à faire des choses insignifiantes).
3. À vous mettre en un lieu sûr je m'offre pour conduite : je m'offre à vous conduire en lieu sûr.
4. temps : moment.
5. propice : favorable.

Scène 7

L'EXEMPT, TARTUFFE, VALÈRE, ORGON, ELMIRE, MARIANE, MADAME PERNELLE, DORINE, CLÉANTE, DAMIS

passage analysé

TARTUFFE

Tout beau, monsieur, tout beau, ne courez point si vite :
290 Vous n'irez pas fort loin pour trouver votre gîte[1],
Et de la part du Prince on vous fait prisonnier.

ORGON

Traître, tu me gardais ce trait pour le dernier ;
C'est le coup, scélérat, par où tu m'expédies,
Et voilà couronner toutes tes perfidies.

TARTUFFE

295 Vos injures n'ont rien à me pouvoir aigrir[2],
Et je suis pour le Ciel appris à tout souffrir.

CLÉANTE

La modération est grande, je l'avoue.

DAMIS

Comme du Ciel l'infâme impudemment se joue !

TARTUFFE

Tous vos emportements ne sauraient m'émouvoir,
300 Et je ne songe à rien qu'à faire mon devoir.

MARIANE

Vous avez de ceci grande gloire à prétendre,
Et cet emploi pour vous est fort honnête à prendre.

notes

1. **gîte** : logement.
2. **à me pouvoir aigrir** : qui puissent m'irriter.

TARTUFFE

Un emploi ne saurait être que glorieux,
Quand il part du pouvoir[1] qui m'envoie en ces lieux.

ORGON

305 Mais t'es-tu souvenu que ma main charitable,
Ingrat, t'a retiré d'un état misérable ?

TARTUFFE

Oui, je sais quel secours j'en ai pu recevoir ;
Mais l'intérêt du Prince est mon premier devoir ;
De ce devoir sacré la juste violence
310 Étouffe dans mon cœur toute reconnaissance,
Et je sacrifierais à de si puissants nœuds[2]
Ami, femme, parents, et moi-même avec eux.

ELMIRE

L'imposteur[3] !

DORINE

Comme il sait de traîtresse manière,
Se faire un beau manteau de tout ce qu'on révère !

CLÉANTE

315 Mais s'il est si parfait que vous le déclarez,
Ce zèle qui vous pousse et dont vous vous parez,
D'où vient que pour paraître il s'avise d'attendre
Qu'à poursuivre sa femme il[4] ait su vous surprendre,
Et que vous ne songez à l'aller dénoncer
320 Que lorsque son honneur l'oblige à vous chasser ?
Je ne vous parle point, pour devoir en distraire,

passage analyse

notes

1. pouvoir : il s'agit du pouvoir royal.
2. nœuds : liens.
3. L'imposteur : titre de la pièce en 1667. Le premier titre en 1664 était *Tartuffe ou l'Hypocrite*.
4. il : Orgon.

Du don de tout son bien qu'il venait de vous faire ;
Mais le voulant traiter en coupable aujourd'hui,
Pourquoi consentiez-vous à rien[1] prendre de lui ?

TARTUFFE, *à l'Exempt.*

325 Délivrez-moi, monsieur, de la criaillerie[2],
Et daignez accomplir votre ordre, je vous prie.

L'EXEMPT

Oui, c'est trop demeurer sans doute à l'accomplir :
Votre bouche à propos m'invite à le remplir ;
Et pour l'exécuter, suivez-moi tout à l'heure
330 Dans la prison qu'on doit vous donner pour demeure.

TARTUFFE

Qui ? moi, monsieur ?

L'EXEMPT

Oui, vous.

TARTUFFE

Pourquoi donc la prison ?

L'EXEMPT

Ce n'est pas vous à qui j'en veux rendre raison.
(À Orgon.)
Remettez-vous, monsieur, d'une alarme si chaude.
Nous vivons sous un Prince ennemi de la fraude,
335 Un Prince dont les yeux se font jour[3] dans les cœurs,
Et que ne peut tromper tout l'art des imposteurs.

passage analyse

notes

1. **rien** : quelque chose que ce soit
2. **de la criaillerie** : de ces gens qui protestent (terme méprisant).
3. **se font jour** : voient clair.

Louis XIV (roi Soleil), en costume de ballet. Le Soleil, métaphore du pouvoir royal.

D'un fin discernement sa grande âme pourvue
Sur les choses toujours jette une droite vue ;
Chez elle jamais rien ne surprend trop d'accès[1],
340 Et sa ferme raison ne tombe en nul excès.
Il donne aux gens de bien une gloire immortelle ;
Mais sans aveuglement il fait briller ce zèle,
Et l'amour pour les vrais ne ferme point son cœur
À tout ce que les faux doivent donner d'horreur.
345 Celui-ci n'était pas pour[2] le pouvoir surprendre,
Et de pièges plus fins on le voit se défendre.
D'abord il a percé, par ses vives clartés,
Des replis de son cœur toutes les lâchetés.
Venant vous accuser, il[3] s'est trahi lui-même,
350 Et par un juste trait de l'équité suprême[4],
S'est découvert au Prince un fourbe renommé[5],
Dont sous un autre nom il était informé ;
Et c'est un long détail d'actions toutes noires
Dont on pourrait former des volumes d'histoires.
355 Ce monarque, en un mot, a vers vous[6] détesté[7]
Sa lâche ingratitude et sa déloyauté ;
À ses autres horreurs il a joint cette suite,
Et ne m'a jusqu'ici soumis à sa conduite
Que pour voir l'impudence aller jusques au bout,
360 Et vous faire par lui faire raison de tout.
Oui, de tous vos papiers, dont il se dit le maître,
Il veut qu'entre vos mains je dépouille le traître.
D'un souverain pouvoir, il brise les liens
Du contrat qui lui fait un don de tous vos biens,

passage analysé

notes

1. rien ne surprend trop d'accès : rien ne peut parvenir trop facilement et par surprise.
2. pour : de nature à.
3. il : Tartuffe.
4. équité suprême : il s'agit de la justice de Dieu ; « *suprême* » indique que c'est l'équité ultime au-dessus de celle des hommes.
5. renommé : célèbre.
6. vers vous : envers vous.
7. détesté : maudit.

365 Et vous pardonne enfin cette offense secrète
Où vous a d'un ami fait tomber la retraite[1] ;
Et c'est le prix qu'il donne au zèle qu'autrefois
On vous vit témoigner en appuyant ses droits[2],
Pour montrer que son cœur sait, quand moins on y pense,
370 D'une bonne action verser la récompense,
Que jamais le mérite avec lui ne perd rien,
Et que mieux que du mal il se souvient du bien.

DORINE

Que le Ciel soit loué !

MADAME PERNELLE

Maintenant je respire.

ELMIRE

Favorable succès[3] !

MARIANE

Qui l'aurait osé dire ?

ORGON, *à Tartuffe.*

375 Hé bien ! te voilà, traître…

CLÉANTE

Ah ! mon frère, arrêtez.
Et ne descendez point à des indignités ;
À son mauvais destin laissez un misérable,
Et ne vous joignez point au remords qui l'accable :
Souhaitez bien plutôt que son cœur en ce jour
380 Au sein de la vertu fasse un heureux retour,

passage analysé

notes

1. **retraite** : lieu d'exil d'Argas, ami d'Orgon.
2. **droits** : droits acquis par Orgon en reconnaissance des services rendus au Roi au moment de la Fronde (1648-1653).
3. **succès** : issue.

passage analysé

Qu'il corrige sa vie en détestant son vice
Et puisse du grand Prince adoucir la justice,
Tandis qu'à sa bonté vous irez à genoux
Rendre ce que demande un traitement si doux.

ORGON

385 Oui, c'est bien dit : allons à ses pieds avec joie
Nous louer des bontés que son cœur nous déploie.
Puis, acquittés un peu de ce premier devoir,
Aux justes soins d'un autre il nous faudra pouvoir,
Et par un doux hymen couronner en Valère
390 La flamme[1] d'un amant généreux[2] et sincère.

notes

1. **flamme** : amour.

2. **généreux** : noble, courageux.

Justice soit faite, de par le Roi

Lecture analytique de la scène 7, acte V

Lorsque débute la dernière scène de l'acte V du *Tartuffe*, la scène 7, le lecteur (ou le spectateur) ne songe plus à rire. Tartuffe démasqué a fait valoir qu'il tenait la famille d'Orgon en son pouvoir. Que fera-t-il, propriétaire désormais de la maison, des biens d'Orgon et des papiers susceptibles de le faire arrêter sur ordre royal ? Le dénouement* d'une pièce se doit de démêler l'intrigue, en éliminant le dernier obstacle et en instruisant les spectateurs sur le sort des personnages. Il peut être ouvert – achever une histoire pour en commencer une autre – ou fermé, ce qui est généralement le cas dans les dénouements des pièces du théâtre classique. Il est intéressant de reconnaître à quel type répond le dénouement du *Tartuffe*, son utilité dramatique* et sa portée symbolique.

Un dénouement-résolution

Le dénouement-résolution fonde sa cohérence sur sa conformité avec la logique des caractères et de l'action. Il peut aussi se structurer sur un retournement de situation parce qu'un événement imprévu survient et oriente le cours de l'intrigue autrement. C'est le cas de la dernière scène du *Tartuffe* qui fait intervenir le pouvoir royal par la représentation de l'exempt. Cette intervention, qui constitue un véritable coup de théâtre, a, d'abord pour le dramaturge*, une utilité dramatique* : la résolution d'une enquête. Mais elle lui permet encore la mise en évidence d'un caractère* : celui de l'imposteur et par son intermédiaire la dénonciation d'un parti ; enfin elle lui offre l'occasion d'un exercice d'éloquence sous la forme de l'éloge de son Roi.

La fin d'une énigme

❶ Étudiez l'attitude et le ton de Tartuffe des vers 289 à 326. Que révèlent-ils sur sa position ?

* *Cf.* Lexique.

❷ Montrez comment le discours de Cléante met en difficulté Tartuffe, en étudiant les modalités* et arguments*.
❸ Quel vers marque un coup de théâtre et quel statut acquiert alors le personnage de Tartuffe ?
❹ La fin de la scène annonce un autre événement attendu du lecteur/spectateur. Que pensez-vous de la valeur dramatique de ce double dénouement ?

La chute de l'imposteur ou l'arrestation d'un escroc

Tartuffe, qualifié par Dorine d'hypocrite dès la scène d'exposition*, est taxé d'imposteur – le second titre de la pièce – par Elmire. Ces deux qualificatifs, fondés sur le jeu du paraître et de l'être, suggèrent la scène du monde et la scène théâtrale. Quelle est la véritable identité de Tartuffe ?

Du dévot à l'escroc

❺ Après avoir invoqué le service dévot pour justifier son comportement, quel service Tartuffe invoque-t-il dans cette scène ?
❻ Par qui les vers 311-312 ont déjà été prononcés dans la pièce ? Commentez-les dans leur nouveau contexte.
❼ Quels vers annoncent le silence de Tartuffe, et par qui sont-ils préférés ? Justifiez-les ainsi que le choix du locuteur*.
❽ Le portrait que l'exempt fait de Tartuffe dans sa tirade* vise-t-il seulement Tartuffe ? Justifiez votre réponse non seulement par les allusions que contient cette tirade mais en vous référant aux propos d'Orgon à la scène 1 de l'acte V.

Le monarque idéal

L'éloge que prononce l'exempt dès le vers 334 appartient au genre épidictique qui, avec les genres délibératif et judiciaire, constitue l'une des trois grandes catégories de discours pratiqués dans l'Antiquité grecque. Il vise à montrer publiquement les qualités (ou les défauts, s'il s'agit d'un blâme) d'une personne

* *Cf.* Lexique.

Acte V, scène 7, pp. 200-206

ou d'un groupe de personnes. La tirade met en évidence tout à la fois la magnanimité de Louis XIV et la toute-puissance qu'il exerce sur ses sujets, quel que soit leur métier…

Un roi glorieux

9 Relevez les marques énonciatives de l'éloge dans la tirade de l'exempt.
10 L'exempt souligne la magnanimité du jugement royal, supérieur à celui des hommes de loi. Dans quels vers précisément ?
11 Quelle figure tutélaire suggère le portrait royal ? Votre réponse s'appuiera sur un champ lexical précis.
12 La personne de Louis XIV a été associée au mythe du Roi-Soleil. Comment la structure de la tirade de l'exempt rend-elle compte de cette association ?
13 Étant donné les relations de Molière avec Louis XIV, cet éloge vous paraît-il justifié ? (Reportez-vous à l'avant-texte pour répondre.)
14 Le rôle de l'exempt mérite-t-il, à votre avis, d'être incarné ou bien suffirait-il d'une « voix off » ?

L'écrivain et le pouvoir

Lectures croisées et travaux d'écriture

Le dénouement du *Tartuffe* intervient au cinquième acte et s'articule autour de l'éloge du roi Louis XIV. Certains ont donc critiqué ce cinquième acte en le qualifiant d'« *énorme brosse à reluire* ». Si l'intervention du Roi en la personne de l'exempt s'apparente à un *deus ex machina** antique, du fait de l'absence du monarque, elle présente l'intérêt de mettre en relief les rapports de l'écrivain avec le pouvoir.
La nature de ces rapports prend ici la forme d'un éloge. Au XVIIe siècle, il est courant – comme en témoignent les préfaces des œuvres de Racine ou de La Fontaine – que l'auteur remercie un Grand de sa protection. La liberté de ton du *J'accuse* de Zola est encore à venir. Dans son premier placet au Roi à propos du *Tartuffe*, Molière avoue son allégeance à Louis XIV. À ce témoignage historique, il peut être instructif de juxtaposer celui de l'écrivain russe Mikhaïl Boulgakov, qui a reconnu dans la soumission de Molière le caractère imposé de la sienne, sous le régime stalinien.

Mikhaïl Boulgakov, *La Cabale des dévots*

Le Tartuffe *de Molière fut joué en Russie dès 1742. L'écrivain russe Mikhaïl Boulgakov (1871-1944) a consacré à Molière un roman,* Monsieur de Molière, *et deux pièces de théâtre.* La Cabale des dévots, *d'abord intitulé* La Cabale des hypocrites, *date de 1929 et fut interdit en 1936. Le mot russe* kabala, *qui signifie « asservissement », dénote la reconnaissance par Boulgakov, en butte au pouvoir stalinien, de Molière comme un double, un compagnon d'infortune. Dans la pièce, un des ennemis les plus acharnés de Molière, Frère Barthélémy, prédicateur errant délégué par le parti dévot, a « exigé » du Roi le bûcher pour l'hérétique Molière. Dans le deuxième tableau (la pièce en compte huit et s'achève par la mort désolée de Molière), le Roi agacé par une exigence qui contrarie son plaisir, décide d'affirmer sa toute-puissance en favorisant Molière.*

* *Cf.* Lexique.

Louis. – Monsieur de Molière, je dîne. Vous n'y voyez pas d'inconvénient, je pense ?

Molière. – Oh, Sire !

Louis. – Mettez-vous à cette table. *(À la cantonade.)* Que l'on apporte une chaise et un couvert !

Molière. – *(Blêmissant.)* Sire, je ne saurais accepter. Que Votre Majesté me dispense d'un honneur dont je suis tout à fait indigne. Je suis le très humble et très fidèle sujet de Votre Majesté.

Louis. – Aimez-vous le poulet, monsieur de Molière ?

Molière. – C'est mon plat préféré, Sire. *(D'un ton implorant.)* Que Votre Majesté me permette de demeurer debout.

Louis. – Mangez, je vous prie. Comment va mon filleul ?

Molière. – À ma grande peine, il est mort, Sire.

Louis. – Que me dites-vous là ? Et le deuxième ?

Molière. – La mort prend mes enfants, Sire.

Louis. – Il ne faut pas désespérer.

Molière. – Sire, il est sans précédent qu'un simple sujet dîne à la table du Roi de France. Vous m'en voyez fort tourmenté.

Louis. – La France, monsieur de Molière, est devant vous dans ce fauteuil. Elle mange du poulet et garde son calme.

Molière. – Ô Sire, il n'y a que Votre Majesté qui puisse parler ainsi.

Louis. – Dites-moi, je vous prie, quel cadeau fera au Roi, dans un proche avenir, votre excellente plume ?

Molière. – Sire... Dans la mesure de mes forces... si je peux... servir... *(Il est ému.)*

Louis. – Il y a une grande hardiesse dans ce que vous écrivez. Mais il est bon de savoir qu'il est des sujets où la prudence s'impose. Et dans votre « Tartuffe » vous avez été, avouez-le, assez imprudent. Il convient de respecter les gens d'Église. J'espère que mon poète ne saurait en aucune façon faire montre d'impiété ?

Molière. – *(Effrayé.)* Sire... Je demande pardon à Votre Majesté...

Louis. – Fermement persuadé que, à l'avenir, vos œuvres se conformeront à d'aussi justes exigences, je vous autorise à jouer au Palais-Royal votre comédie du « Tartuffe ».

MOLIÈRE. – *(Dans un état second.)* Je t'aime, ô mon Roi ! *(Ému.)* Où est Monseigneur l'Archevêque Charron ? Vous entendez, monsieur, vous entendez ? *(Louis se lève. Une voix : « Le Roi a dîné ! »)*

LOUIS. – *(À Molière.)* Ce soir, c'est vous qui apprêterez mon lit, monsieur de Molière. *(Molière saisit un candélabre sur la table et passe le premier. À sa suite, vient Louis et, comme sous le souffle du vent, tout se courbe et s'écarte devant lui.)*

MOLIÈRE. – *(Il annonce d'une voix monotone.)* Messieurs, le Roi ! Messieurs, le Roi ! *(Il s'engage dans l'escalier et crie sans se retourner.)* Monseigneur l'Archevêque, vous n'arriverez à rien contre moi, soyez-en assuré ! Messieurs, le Roi !... *(Sonnerie de trompettes à l'étage.)* « Tartuffe » est autorisé ! *(Il disparaît avec Louis. Tous les courtisans se retirent. Restent seuls en scène, Charron et Frère Fidélité, tous deux de noir vêtus.)*

CHARRON. – *(Au pied de l'escalier.)* Non, le Roi ne t'amendera pas ! Dieu tout-puissant, arme-toi et guide-moi sur les traces de l'impie, qu'il me soit donné de l'atteindre et de le confondre ! *(Un temps.)* Et il tombera des hauteurs de cet escalier ! *(Un temps.)* Approchez, Frère Fidélité. *(Frère Fidélité s'avance.)* Frère Fidélité, quelle mouche vous a piqué ? Confier à un dément une telle ambassade ! Et moi qui vous croyais quand vous assuriez qu'il ferait impression sur le Roi !

FRÈRE FIDÉLITÉ. – Qui pouvait deviner qu'il lui échapperait ce malencontreux « exiger » ?

CHARRON – Vraiment ! Exiger !

FRÈRE FIDÉLITÉ – Exiger ! *(Silence.)*

Mikhaïl Boulgakov, *La Cabale des dévots*,
in *Vie de Monsieur de Mikhaïl Boulgakov*, éd. Robert Laffont.

Corpus

Texte A : La tirade de l'exempt, scène 7 de l'acte V du *Tartuffe* de Molière (p. 202 v. 332 à p. 205 v. 372).
Texte B : Premier placet de Molière au Roi sur *Le Tartuffe* de Molière (p. 26 l. 43 à p. 27 l. 66).
Texte C : Extrait de *La Cabale des dévots* de Mikhaïl Boulgakov (pp. 210-212).

Examen des textes

❶ Étudiez les marques énonciatives* du genre épidictique dans le texte A.
❷ La tonalité* de la requête est-elle respectée dans le texte B ? Justifiez votre réponse en vous référant précisément au texte.
❸ Molière était tout à la fois directeur de troupe, acteur et auteur. Montrez comment cette triple capacité rend le texte plus éloquent.
❹ Quelle modalité* du discours souligne dans le texte C le statut royal de Louis XIV et la dépendance de Molière ?

Travaux d'écriture

Question préliminaire
De quelle manière les trois textes soulignent-ils les relations entre l'écriture et le pouvoir ? Montrez que chacun des trois textes, en dépit d'un mode énonciatif différent, met en évidence l'assujettissement de l'écrivain au pouvoir politique.

Commentaire
Vous ferez le commentaire composé du premier placet au Roi écrit par Molière à propos du *Tartuffe*. Vous soulignerez le talent avec lequel le dramaturge le métamorphose en un divertissement spirituel.

Dissertation
La censure qui frappa *Le Tartuffe* à plusieurs reprises manifeste combien l'écrivain, à l'époque de Molière, est dépendant matériellement, moralement et intellectuellement. En vous fondant sur des exemples précis, vous vous demanderez, en tentant de le définir, si le statut de l'écrivain contemporain s'est affranchi de tout interdit.

Écriture d'invention
Sur le modèle du premier placet de Molière, vous imaginerez la supplique qu'un homme d'État adresse à un dramaturge pour ne pas « être mis au pilori » (être déchu de ses pouvoirs).

* *Cf.* Lexique.

Le Tartuffe : bilan de première lecture

❶ Sur quelle situation théâtrale s'ouvre la pièce et sur quels enjeux ?

❷ Définissez le rôle de Dorine dans la pièce.

❸ Quels sont les différents couples de la pièce ?

❹ À quel moment s'effectue l'entrée de Tartuffe ?

❺ Certains comédiens ont fait de Tartuffe un croyant torturé, d'autres un être sensuel et cynique. Comment une telle divergence d'interprétation vous paraît-elle possible ?

❻ À votre avis, Elmire est-elle « coquette » ? « féministe » ?

❼ De Cléante, Louis Jouvet déclarait : « *Loin d'être un sinistre bonhomme qui raisonne, c'est un type plein d'esprit.* » Cet avis vous semble-t-il justifié ?

❽ Quel portrait feriez-vous d'Orgon ?

❾ À quel moment le registre théâtral hésite-t-il entre comique et tragique ?

❿ Quelle satire autre que religieuse la pièce du *Tartuffe* met-elle en relief ?

⓫ Comment la dynamique de la péripétie est-elle exemplaire dans *Le Tartuffe* ?

⓬ Comment la dernière scène confirme-t-elle les enjeux initiaux ?

⓭ Quelle est l'importance du masque dans la pièce ?

⓮ Quel est le type de dénouement adopté par Molière ?

⓯ À quel genre appartient la pièce ?

Le Tartuffe ou la comédie de l'imposture au XVIIe siècle

Structure de l'œuvre

Présence des personnages

Acte I : l'acte de Cléante ou la dénonciation de l'imposture par un esprit libre.

Personnages \ Scènes	1	2	3	4	5
Mme Pernelle	•				
Orgon				•	•
Elmire	•		•		
Cléante	•	•	•	•	•
Dorine	•	•	•	•	
Mariane	•		•		
Damis	•		•		

Acte II : l'acte de Dorine, une suivante chorégraphe du dépit amoureux.

Personnages \ Scènes	1	2	3	4
Orgon	•	•		
Dorine		•	•	•
Mariane	•	•	•	•
Valère				•

Acte III : l'acte de Tartuffe ou les grimaces « amoureusement dévotes » d'un imposteur.

Scènes / Personnages	1	2	3	4	5	6	7
Orgon					•	•	•
Elmire			•	•	•		
Dorine	•	•					
Tartuffe		•	•	•	•	•	•
Damis	•			•	•	•	
Laurent		•					

Acte IV : l'acte d'Elmire, coquette ou femme fidèle ?

Scènes / Personnages	1	2	3	4	5	6	7	8
Orgon			•	•	•	•	•	•
Elmire		•	•	•	•	•	•	•
Tartuffe	•				•		•	
Cléante	•	•	•					
Dorine		•	•					
Mariane		•	•					

Acte V : l'imposteur confondu et la magnanimité royale.

Personnages \ Scènes	1	2	3	4	5	6	7
Orgon	•	•	•	•	•	•	•
Elmire			•	•	•	•	•
Tartuffe							•
Cléante	•	•	•	•	•	•	•
Dorine			•	•	•	•	•
Mariane			•	•	•	•	•
Damis		•	•	•	•	•	•
Valère						•	•
L'exempt							•
M. Loyal				•			
Mme Pernelle			•	•	•	•	•

Molière démasquant l'imposture. Frontispice d'une édition de 1844, Bibliothèque de l'Arsenal, Paris.

Structure de la pièce

Lieu : maison d'Orgon, dans une salle basse

Acte	Temps	Enjeux	Obstacles
I	matin	Tartuffe. Mariage de Mariane.	Toute la famille sauf Mme Pernelle. Aveuglement d'Orgon.
II	mi-journée	Mariage (bonheur) de Mariane et de Valère.	Tyrannie domestique d'Orgon : projet de marier Tartuffe et Mariane.
III		Identité de Tartuffe. sa mise à l'écart. Amour de Tartuffe pour Elmire.	Masque de Tartuffe et aveuglement d'Orgon. Dévotion.
IV	soir	Salut des couples : Mariane/Valère, Elmire/Orgon. Salut de la famille.	Concupiscence de Tartuffe. Donation.
V		Salut d'Orgon. Salut de la famille.	Intervention de l'huissier. Tartuffe.

Structure de la pièce

Stratagèmes	Péripétie	Dénouement
Raison de Cléante. Bon sens de Dorine.		Incertitude du mariage de Mariane et de Valère.
Dorine tente de raisonner Orgon et Mariane.	Scène de dépit amoureux.	Réconciliation de Mariane et de Valère.
Marché : Silence d'Elmire contre accord de Tartuffe. Mélange langage dévot et galant.	Colère de Damis. « Contrition » de Tartuffe.	Victoire de l'imposteur. Tartuffe : prétendant et héritier.
Ruse d'Elmire : Orgon sous la table. Raison de Cléante.	Retournement : de l'expulsion de Tartuffe à l'expulsion de la famille.	Expulsion de Tartuffe. Famille aux mains d'un escroc.
Fuite. Prétexte de l'intérêt royal.	Tartuffe démasqué. Intervention de la police royale.	Arrestation de Tartuffe escroc. Mariage prochain de Mariane et de Valère. Éloge du pouvoir royal.

Le Tartuffe : genèse et circonstances de publication

Ses sources

À retenir

Tartuffe et son arbre généalogique
Des ancêtres latins, espagnols, des ancêtres romanesques et même… une femme !

Sources profanes

Molière s'inspire tout d'abord de la comédie latine : le mensonge incarné du *Pseudolus* de Plaute ou le fourbe averti du *Phormion* de Térence lui sont familiers. Il connaissait probablement aussi les hypocrites du XIVe siècle, que ce soit *Le Pharisien* de Rutebeuf ou le personnage de la « Papelardière » dans *Le Roman de la Rose* de Guillaume de Lorris. Il faut encore mentionner *L'Hypocrite* (1542) de l'Arétin au XVe siècle.
Le personnage est plus précisément comparable lorsqu'il s'appelle « Macette » ou « Montufar ». Le premier apparaît dans les *Satires* (1612) de Mathurin Régnier (voir texte p. 133). Ce « Tartuffe » femme, entremetteuse de son métier, dissimule sous-couvert de la dévotion son appétit sensuel et sa cupidité. Le second, créature romanesque de Scarron (1610-1660) dans *Les Hypocrites* (1655), présente un comportement très semblable : les manifestations ostentatoires de sa dévotion lui valent l'appui financier de riches Sévillans. Démasqué par l'un d'entre eux, il avoue avec une contrition si vive qu'il est aussitôt absous de son imposture et vit aux crochets des autres de plus belle.
Le ton sous la plume de Pascal (1623-1662) devient pamphlétaire. *Les Provinciales* (1656-1657), parues six ans avant *Le Tartuffe*, ridiculisent impitoyablement les « directeurs de conscience » fort habiles en casuistique*. Parmi eux, les jésuites étaient nombreux. Sainte-Beuve voit dans

* *Cf.* Lexique.

les actes III et IV du *Tartuffe* une mise en scène du pamphlet pascalien, notamment des septième (direction d'intention) et neuvième (restriction mentale) *Provinciales*. Qu'est-ce donc que la direction d'intention, sinon de proposer pour fin un objet permis ? Ainsi, dans la septième *Provinciale*, le jésuite justifie-t-il le duel, alors interdit par la loi : « *Il n'y a qu'à détourner son intention du désir de vengeance, qui est criminel, pour la porter au désir de défendre son honneur, qui est permis selon nos pères. C'est ainsi qu'ils accomplissent tous leurs devoirs envers Dieu et envers les hommes. Car ils contentent le monde en permettant les actions ; et ils satisfont à l'Évangile en purifiant les intentions.* » Pour ce qui est de la restriction mentale, l'ironie de Pascal est tout aussi cinglante : « *On peut jurer qu'on n'a pas fait une chose* », dit le jésuite, « *quoiqu'on l'ai faite effectivement, en tendant en soi-même qu'on ne l'a pas faite un certain jour, sans que les paroles dont on se sert aient aucun sens qui puisse le faire connaître.* » Tartuffe saura mettre à profit ces leçons !

Sources religieuses

Le langage et les propos du *Tartuffe* n'auraient pas ému si vivement Rome et l'Église s'ils étaient demeurés allusifs. Mais la satire* de Molière puise aux sources religieuses authentiques : celle du *Nouveau Testament* et celle des textes religieux contemporains.

Le Tartuffe parodie tout à la fois les textes des apôtres saint Paul et saint Luc. Si le vers 309 de l'acte I scène 5 parodie l'acte de mortification de saint Macaire « s'exposant pendant six mois au désert pour avoir tué lui-même une puce » (*épître de saint Paul aux Philippiens*, III, 8, 1) ; le « joyeux » abandon des siens auquel souscrit Orgon pour l'intérêt du Ciel aux vers 278-279 de la scène préci-

À retenir

Satire religieuse
Le Nouveau Testament, Saint-François de Sales, jésuites et jansénistes... *Le Tartuffe* les parodie tous.

tée évoque sans détours l'Évangile selon Luc : « *Si quelqu'un vient à moi sans haïr son père, sa mère, sa femme, ses enfants, ses frères, ses sœurs et jusqu'à sa propre vie, il ne peut être mon disciple* » (XIV, 26).
La satire religieuse n'épargne pas non plus les contemporains, et plus particulièrement saint François de Sales. Le langage dévot utilisé par Tartuffe à l'acte III scène 3 pour séduire Elmire pastiche le langage de l'*Introduction à la vie dévote* et celui du *Traité de l'amour de Dieu* qui disent l'amour divin en termes d'amour profane et sont sensuellement mystiques. Mais la soumission aveugle du dévot Orgon à son « directeur de conscience » accentue plus gravement la satire ; de fait écrit Saint-François de Sales : « *Quand vous l'aurez trouvé, ne le considérez pas comme un simple homme, et ne vous confiez pas en son savoir humain, mais en Dieu, lequel vous favorisera par l'entremise de cet homme, mettant dans le cœur et dans la bouche d'icelui ce qui sera requis pour votre bonheur ; si que vous le devez écouter comme un ange qui descend du Ciel pour vous y mener.* » (*Introduction à la vie dévote*, chap. IV, deuxième partie.) Dès lors, le ridicule théâtral d'Orgon devenait une caricature féroce du dévot.

Circonstances de publication

La cabale des dévots

Le parti dévot prône la soumission de l'État à l'Église. Désavoué par le Roi en 1630, le parti dévot trouve dans la Compagnie du Très Saint-Sacrement de l'Autel (fondée en 1627) un relais à la fois caritatif et policier. Officiellement, la Compagnie secourt les plus démunis et ouvre à Paris l'Hôpital général en 1656 – ancêtre en quelque sorte de l'Assistance publique. Officieusement, la Compagnie sert les intérêts du Pape et du parti dévot : elle incarne la lutte contre le pouvoir royal. Certes, les jésuites, qui savent concilier devoirs mondains et exigences chrétiennes, soutiennent Rome ; mais le fanatisme des « Frères » de la Compagnie est un plus sûr appui, parce qu'ils sont introduits à la Cour, et parce qu'ils s'introduisent dans les familles. À la cour, les Frères bénéficient du soutien de la pieuse reine Anne d'Autriche jusqu'à sa mort en 1668 et de celui des Grands (nobles) convertis, tels le Prince de Condé, le Prince de Conti. Dans les familles, ils utilisent des directeurs de conscience. Ces individus, sous prétexte de régenter les esprits et les mœurs des Français, sont en fait chargés de débusquer et de dénoncer tout libertin, voire de l'envoyer au bûcher pour la bonne cause.

À retenir

La lutte contre le parti dévot
Dès sa première version, *Tartuffe ou l'Hypocrite* (1664), la pièce fut la cible du parti dévot. Ces derniers ripostent par cinq années de censure.

La genèse du *Tartuffe*

Le premier texte intitulé *Tartuffe ou l'Hypocrite* date de 1664. La pièce représentée à Versailles au cours des divertissements royaux – dits « Plaisirs de l'Île enchantée » – le 12 mai fit rire son plus illustre spectateur, Louis XIV. Il l'interdit pourtant dès le lendemain sous la pression dévote de l'archevêque de Paris, Hardouin de Péréfixe. La pièce comportait trois actes et s'achevait sur le succès de l'hypocrite, un clerc parodié qui, au nom des intérêts du Ciel, tentait de séduire la femme de son hôte et de se substituer à l'héritier légitime. La charge était d'autant plus lourde que l'hôte affichait une dévotion aveugle et ridiculisée. « *Pièce sortie d'un esprit diabolique* » écrira l'abbé Pierre Roullé dans son libellé *Le Roi glorieux au monde* ! Molière ne se découragea pourtant pas. Après avoir fait jouer en 1665 la pièce de *Dom Juan* qui, en dépit de son interdiction, lui valut la même année le titre de « troupe royale », il joua *Le Misanthrope* (juin 1666) où il dénonçait par la bouche d'Alceste l'hypocrisie mondaine sans oublier de faire rire aux dépens des faux dévots…

À retenir

Victoire de Molière
1669 : le parti dévot est affaibli et le Roi de retour. *Le Tartuffe ou l'Imposteur* remporte un immense succès.

Encouragé par le succès des deux pièces, il fait alors jouer une seconde version du *Tartuffe* en cinq actes intitulée *Panulphe ou l'Imposteur* le 5 août 1667 sur la scène du Palais-Royal. Le texte, adouci, se terminait par la défaite du faux dévot, devenu homme du monde, vêtu d'un costume semi-ecclésiastique. Peine perdue ! La pièce mise à l'index dès le lendemain par le président du Parlement de Paris fut de nouveau censurée. Le parti dévot maintenait sa pression et en dépit de son plaisir, le Roi, en campagne dans les Flandres, céda.

Mais Molière n'avait pas dit son dernier mot ! Le 5 février 1669, il présenta une troisième version de cinq actes intitulée *Le Tartuffe ou l'Imposteur* qui s'achevait par un éloge du Roi. Le crédit des Frères auprès des autorités ecclésiastiques avait diminué, le Roi était de retour dans sa capitale, le succès fut immédiat.

La pièce était-elle si subversive ? Sans doute : mettre en scène l'hypocrisie était à l'époque de Molière bien hardi ! Et aux XVIe et XVIIe siècles, les théologiens ont déclaré le péché d'hypocrisie péché mortel quand il nuit aux intérêts de Dieu et d'autrui… Tartuffe fait-il autre chose ?

À retenir

Les modèles de Tartuffe
Tartuffe figure avant tout le parti dévot.

Les originaux du personnage de Tartuffe

En prenant pour cible les hypocrites, Molière avait, comme le remarque Antoine Adam et comme le souligne Dom Juan à l'acte V, scène 2 (« *l'hypocrisie est un vice à la mode* »), l'embarras du choix parmi les modèles contemporains. Toutefois, après les attaques du parti dévot contre *L'École des femmes*, Molière avait de justes raisons

de viser plus particulièrement les « Frères » de la Compagnie du Saint-Sacrement de l'Autel (voir la cabale des dévots, p. 224). *Le Tartuffe* transpose volontiers leurs comportements comme leurs propos. Lamoignon rencontré un jour par Molière qui lui demanda si « *en dénonçant les faux dévots, sa pièce ne défend pas la religion* » répondit : « *Monsieur, il est près de midi, je manquerais ma messe si je m'arrêtais plus longtemps.* »
Le modèle le plus proche de Tartuffe et le plus troublant apparaît dans les *Historiettes* de Tallemand des Réaux qui décrit un certain Charpy de Sainte-Croix. Ce Charpy, dont la piété exemplaire impressionne une certaine Madame Hansse au point de l'introduire chez elle, entreprend d'en séduire la fille, mariée à un certain Monsieur Patrocle, à la barbe du mari, et de chasser de la maison ses détracteurs… À la différence de Tartuffe, il ne fut pas démasqué et mourut probablement empoisonné…

Le nom du *Tartuffe*

Le mot *tartuffe* d'origine italienne double (tout à la fois *truffo* et *tartufoli*) illustre pourtant l'idée d'une unité : celle des papilles. Tous deux désignent une friandise fourrée. Or « truffe » signifie en Bourgogne au XVIe siècle « trompeur » et « se truffer de », « se moquer de »… Il faut encore songer au pamphlet du *Mastigophore* d'un prêtre parisien, Antoine Fusy, où le terme de « tartuffe » est associé à celui de « happelourde ». Au sens propre, le mot signifie « pierre fausse que l'on veut faire passer pour fine » et au sens figuré « hypocrite » !

Le Tartuffe ou l'Imposteur, comédie* subversive, de mœurs et de caractères

Les lieux du comique* à l'époque du *Tartuffe*

À retenir

La scène parisienne
Trois principales scènes : l'Hôtel de Bourgogne, le Théâtre du Marais (salle du jeu de paume) et le Palais-Royal.

En 1658, les saltimbanques qui orientèrent le jeune Jean-Baptiste vers le théâtre jouaient sur les ponts et rues mais la comédie se donnait dans trois salles parisiennes : l'Hôtel de Bourgogne, Le Théâtre du Marais et le Palais-Royal. Le premier était la propriété de la troupe de Valleran-Lecomte, alors « troupe royale ». Avant de se spécialiser dans la tragédie, cette troupe jouait des farces*

L'Hôtel de Bourgogne et ses principaux acteurs, par Abraham Bosse.

dont les seuls noms des personnages – Turlupin, Gros-Guillaume ou Gaultier Garguille – invitaient au rire.
Sur la scène rivale, le Théâtre du Marais, règne Mondory. Depuis 1600 y étaient montées des farces puis des pièces dites « à machines », très techniques. La troupe fut dissoute en 1673. Molière partagera le troisième lieu à partir de 1661 avec les comédiens italiens.

La grande comédie

Lorsque Molière revint à Paris en 1658, la farce qui avait alimenté le répertoire comique des XIVe et XVe siècles français était un objet de discrédit. Son canevas simple, ses personnages peu nombreux, ses sujets empruntés à la vie quotidienne, son recours aux effets grossiers et la finalité pragmatique de sa morale sont décriés par une société mondaine délicate et éveillent la suspicion de la part des autorités religieuses. Elle n'est pas plus du goût des écrivains tels que Corneille, qui milite pour imposer une hiérarchie des genres, notamment de la comédie* soutenue.
En revanche, la comédie vivait des heures de gloire. Ses ascendants étaient doubles : la comédie latine de Plaute (254-184 av. J.-C.) et de Térence (190-159 av. J.-C.), et la comédie italienne, la *commedia dell'arte**. Toutes les deux étaient des comédies d'intrigue*. Installé au Palais-Royal, Molière ne renonça pas à la farce ni à la comédie d'intrigue, mais il innova en créant une comédie fidèle à la nature humaine, ce qui de son avis la situait au-dessus de la tragédie. Dès 1662, *L'École des femmes* à la trame farcesque (trompeur/trompé, triomphe de la jeunesse et de la beauté présenta un jaloux si vrai qu'il

À retenir

Farce et grande comédie
Avec *L'École des femmes*, en 1662, Molière fait triompher la grande comédie.

* *Cf.* Lexique.

en était pitoyable, comme le seront l'avare ou le misanthrope dans les pièces du même nom. La grande comédie, de mœurs et de caractères, était née et élevée au niveau humain de la tragédie.

Le Tartuffe, comédie réaliste et satirique

À retenir

Réalisme et satire sociale
Peindre d'après nature : telle est la devise de Molière. La matière de la comédie est la nature humaine.

Le Tartuffe utilise deux situations types: celle du mariage contrarié (Mariane/Valère) et celle du mari trompé (Tartuffe/ Elmire/Orgon). Toutefois, le comique selon Molière est souvent empreint d'une gravité jaillie d'une observation réaliste. Le deuxième titre du *Tartuffe* de 1669, *l'Imposteur*, ne suggère aucun rire : il annonce la malignité et, de fait, ce personnage qui réussit presque à ruiner une famille entière semble plus odieux que pitoyable ! L'univers grand-bourgeois dans lequel se déroule l'intrigue avait de fortes chances de susciter l'intérêt des spectateurs tant par son passé historique lié à la Fronde que par la présence en son sein d'un directeur de conscience. Mais comment rendre la satire* des mœurs effective ?
D'abord le dramaturge privilégia tout à la fois l'ironie* et la parodie*. Dorine par le portrait d'Orante de l'acte I scène 1, puis Cléante à la scène 5 du même acte brossent deux portraits fort ironiques des faux dévots. Ensuite, le reniement de la famille toute entière (femme, parents, enfants) par Orgon (acte I, scène 5, vers 276), puis par Tartuffe (acte V, scène 7, vers 312), se confond avec une parodie de l'Évangile de l'apôtre Luc ou encore de l'*Introduction à la vie dévote* de Saint-François de Sales. Faire

* *Cf.* Lexique.

parler le même langage au faux dévot et au vrai dévot pouvait justifier la réaction des milieux religieux.

Les différents procédés comiques* du *Tartuffe*

Les effets comiques naturels au théâtre de Molière tiennent à la fois aux situations, aux gestes, au langage et aux caractères. *Le Tartuffe* offre de bons exemples de chacun de ces procédés.

> **À retenir**
> **Le comique selon Molière**
> Molière utilise le comique de situation, de gestes, de mots, de caractères...

Le comique de situation

Le comique de situation repose souvent sur un quiproquo*. Dans la scène de dépit amoureux* entre Mariane et Valère, cela commence par un malentendu et l'entêtement des deux jeunes gens provoque le rire. De même le personnage de Tartuffe, faux dévot ou escroc, n'est aucunement comique, en revanche l'embarras de sa situation de faux dévot/amoureux transi devant Elmire à l'acte III scène 3 le rend ridicule, tout comme lorsque croyant étreindre la femme, il étreint le mari à l'acte IV.

Le comique de gestes

Le comique de gestes repose sur des effets farcesques comme les coups de bâton dont Orgon menace Damis à l'acte III scène 6 ou dont Damis menace Monsieur Loyal à l'acte V scène 4. Orgon, se mettant à genoux aux côtés de Tartuffe l'imposteur est franchement grotesque.

Le comique de mots

Le comique de mots exploite toutes les ressources du langage. *Le Tartuffe* en est un exemple particulièrement

* *Cf.* Lexique.

réussi depuis le comique répétitif du «*pauvre homme*» de l'acte I scène 4, comparable au «*Sans dot*» de *L'Avare* jusqu'au détournement du langage dévot auquel se livre Tartuffe dans l'acte III scène 3, à des fins sensuelles.

Le comique de caractères

Les réactions emportées de Madame Pernelle, de son fils Orgon et de son petit-fils Damis témoignent encore d'un registre* farcesque. En revanche, l'aveuglement d'Orgon – dans la mesure où il révèle des aspirations tyranniques capables de ruiner sa famille tout entière – et une affection ambiguë pour Tartuffe le rendent pathétique. Comme le remarquait Fernand Ledoux, la relation qui unit Orgon à Tartuffe oriente le registre de la pièce. Suivant l'interprétation du rôle d'Orgon, la pièce reste ou non comique.

Quelques particularités du théâtre de Molière

La palette du peintre

Chaque peintre utilise une palette qui lui est propre. Molière – peintre des mœurs – utilise tout à la fois la technique du dégradé et celle du phare.

Au dégradé se rattache la peinture indirecte qui nous fait attendre et désirer l'entrée du personnage éponyme*, Tartuffe, deux actes pleins. Son imposture sera d'autant plus criante que l'aveuglement d'Orgon, sourd aux avertissements de Cléante et de Dorine, en fait la «*dupe réjouie*» de l'imposteur démasqué par Damis à la fin du troisième acte. C'est ce qu'on appelle une peinture par démonstration.

* *Cf.* Lexique.

Au phare appartiennent l'art du raccourci et le personnage guide. Dès les deux premières réponses d'Orgon à Cléante de l'acte I scène 4 nous connaissons Tartuffe. Les commentaires de Dorine à l'entrée de l'imposteur dans l'acte III scène 2 orientent notre jugement.

Deux tendances comiques

Les effets comiques moliéresques sont orientés selon deux tendances essentielles: les contrastes et la parodie.
Les contrastes provoquent un rire quasi immédiat: comment mieux montrer la folie d'Orgon qu'en lui opposant le bon sens de Dorine ou l'intelligence de Cléante? Comment mieux montrer la folie des amants que par une scène de dépit?
La parodie, plus subtile, interpelle la culture et l'intelligence du spectateur. Le style « dévotement amoureux » employé par Tartuffe lors de son premier entretien avec Elmire ridiculise impitoyablement dévots et galants.
Mais l'impitoyable manifeste parfois une tonalité pathétique*. La situation de Mariane, sacrifiée à l'égoïsme affectif de son père, et celle d'Elmire à l'acte IV scène 7 livrée à l'appétit du fourbe au vu d'un mari indifférent sont pathétiques: l'issue en est totalement incertaine!
De ce fait, nous découvrons la richesse du registre théâtral de Molière: loin d'être formellement stéréotypé, il révèle avant tout la complexité humaine et le rire, que suscitent les êtres, obéit parfois à l'humeur mélancolique de leur créateur.

* *Cf.* Lexique.

Le Tartuffe, une pièce de l'époque classique

Vous avez dit classique ?

À retenir

Les différents sens du mot « classique »
Classique : ce que les classes étudient ; œuvre qui fait autorité, qui succède au baroque.

Issu du latin *classicus*, le mot « classique » est connoté tant historiquement que littérairement et qualitativement.Historiquement, l'époque classique se situe entre 1660 et 1685, soit l'époque de Louis XIV (mort en 1715), le Roi-Soleil.
Littérairement, le mouvement classique succède au courant baroque* et se veut moderne. En effet, les écrivains de cette période se font qualifier de « classiques » par ceux du XIXe siècle, les romantiques, en réaction contre la tradition.
Enfin, est dit « classique » un écrivain que sa valeur met au premier rang, qui fait autorité en matière de jugement et de goût. Le mot implique une référence à un modèle. Seront dits « classiques » les Anciens, latins et grecs ; les écrivains de l'époque de Louis XIV et tout écrivain digne d'être étudié en classe. Nul doute que *Le Tartuffe*, autorisé en 1669, ne soit une œuvre classique historiquement et qualitativement puisque le génie du *Tartuffe* de Molière que vous étudiez est aussi familier aux lycéens de France que celui de *Hamlet* de Shakespeare aux lycéens anglais. *Le Tartuffe* obéit-il au demeurant à la doctrine littéraire dite classique ? La réponse réjouirait Molière : ni positive ni négative, non, mêlée, à la mesure de la nature humaine, chère à l'auteur.

* *Cf.* Lexique.

Un personnage baroque…

Le Tartuffe ou l'Hypocrite, Le Tartuffe ou l'Imposteur: le titre le dit sans ambiguïté, le personnage est un comédien, un masque. À cette identité mensongère correspond un comportement mensonger dénoncé par Molière: celui du faux dévot, tout entier d'apparence comme le remarque avec verve Dorine à l'acte I scène 1: « *Tout son fait, croyez-moi, n'est rien qu'hypocrisie* ».

Dès lors, en choisissant d'incarner l'essence du théâtre – art d'illusion – dans un de ses personnages – l'hypocrite – Molière reprenait avec *maestria* un motif baroque antérieur au classicisme, celui du masque.

Le courant baroque, qui de fait s'étend en Europe de 1580 à 1660, prône l'inconsistance du monde, la primauté du paraître sur l'être: la thématique de la métamorphose et le motif du masque y sont privilégiés. Tartuffe certes se métamorphose dans les deux derniers actes: de faux dévot, il devient séducteur concupiscent et escroc. Ce véritable Protée ne quitte pas son masque jusqu'à la dernière scène où, après avoir réitéré son dévouement au Ciel et au prince (vers 308), il quitte la place sans mot dire.

Il faut encore souligner que la pièce se construit sur des figures baroques: quelle différence sépare le comédien Tartuffe du comédien qui joue le vrai dévot Orgon ? Tous les deux jouent et le vrai ne se distingue pas du faux. Et que penser d'Elmire qui, coquette* ou féministe, se joue de Tartuffe en simulant un amour précieux. Dès lors où situer l'hypocrite ? Dans son jeu ou bien dans ses enjeux ?

À retenir

Tartuffe, un personnage baroque

Le baroque implique métamorphoses, éclat, éphémère, masque…
Le jeu masqué/démasqué de Tartuffe est par essence baroque.

… dans une œuvre classique

La dernière version du *Tartuffe* (1669) le situe historiquement dans la période littéraire dite classique. Comment

* *Cf.* Lexique.

à partir d'un personnage baroque parvenir à une œuvre classique ? Écoutons l'avis de Jean Rousset dans *La Littérature de l'âge baroque en France*, Circé et le paon (Corti, 1954, pp. 218-248).

« Il y a bien deux tartuffes dans la pièce : celui dont on parle au long des deux premiers actes et celui des trois derniers. Mais Molière n'en met qu'un sur la scène, le second. L'autre n'est présent que par l'image que nous offrent les différents habitants de la maison d'Orgon. Le spectateur l'assimile à une image qui appartiendrait au passé – antérieur à la pièce ; il en étoffe le personnage qui y gagne en relief, mais il ne voit qu'un tartuffe et la pièce n'est pas décentrée par un personnage successif. C'est ainsi qu'on peut faire avec un personnage baroque, une pièce classique où les difficultés et la contradiction inhérent à cette genèse tournent au bénéfice de l'œuvre. »

Jean Rousset souligne l'unité du personnage/caractère mis en scène par Molière, élément essentiel du classicisme.

Le Tartuffe et la doctrine classique

En France, la doctrine classique, héritière de la Renaissance, prône l'imitation des Anciens. Le philosophe grec Platon affirme l'union de l'esthétique et de l'éthique : « *le beau est le bon* ». La doctrine classique l'érige en règle. La pratique de l'art de plaire doit élever l'esprit des lecteurs. Molière nous le rappelle dans son premier placet sur *Le Tartuffe* : « *le devoir de la comédie étant de corriger les hommes en les divertissant...* ».

Autre règle de la doctrine classique : imiter la nature humaine. Le classicisme est un courant humaniste : les auteurs du XVIIe siècle écrivent pour un public précis dont ils doivent respecter le goût, ce qui leur impose de respecter les bienséances et le vraisemblable. Autrement dit ce que l'esprit peut admettre comme vrai. De ce point de vue, *Le Tartuffe* était et n'était pas classique. Les grands bourgeois du XVIIe siècle purent aisément se reconnaître dans les membres de la famille d'Orgon. Peut-être trop ! La cabale que déclencha la pièce montre que tant les directeurs de conscience que les dévôts sincères se sentirent jugés. Le caractère hyperbolique des personnages dépassait les bienséances convenues.

Mais imiter la nature humaine au XVIIe siècle, c'est encore peindre et analyser le caractère humain avec ses qualités et ses défauts, au point de tenir lieu d'intrigue. Un être colérique pouvait se sentir interpellé par les excès de colère de Madame Pernelle, d'Orgon et de Damis ; un homme d'esprit partageait celui de Cléante. Dès lors, le personnage dépassait les limites de son individualité pour devenir universel. Le personnage du Tartuffe a traversé le temps pour devenir un type : au XXIe siècle, lorsque nous disons d'autrui que c'est un tartuffe, il est clair que nous évoquons un hypocrite au même titre qu'un avare ou un misanthrope, personnages éponymes de deux autres pièces de Molière et devenus eux aussi universels.

À retenir

La doctrine classique
Imite les Anciens, la Nature ; respecte les bienséances et la vraisemblance ; atteint l'universel.

Étroitement codifiée à l'exemple de la Cour, la dramaturgie classique devait respecter selon *La Pratique du théâtre* (1657) de l'abbé d'Aubignac, trois unités : de temps, de lieu et d'action. L'action du *Tartuffe* est une : démasquer la fause dévotion ou *tartufferie*. Elle s'accomplit dans une journée, du matin du retour d'Orgon à l'arrestation de l'escroc, et a pour cadre un lieu unique, la salle basse de la maison d'Orgon.

Un tel souci d'unité est inséparable d'une recherche de l'harmonie jusque dans la langue. Clarté et concision furent les deux qualités auxquelles travaillèrent Vaugelas dès 1647, mais surtout Ménage et Boileau dans son

Art poétique (1674). De ce point de vue, la langue de Molière, plus pittoresque et vivante que ne l'exigeait la grammaire, n'échappa pas aux critiques des « puristes » mais ne l'oublions pas : le style de Molière est style de théâtre, d'un acteur tout autant que d'un auteur et fait, non pour la lecture, mais pour la scène.
Ainsi, *Le Tartuffe* de Molière ne renie-t-il pas la doctrine classique, mais comme le manifeste l'éloge royal qui clôt la dernière scène de la pièce, le dramaturge avait-il le choix ? Il était sujet du Roi, d'un roi certes éclairé et mécène, mais omnipotent jusque dans son parc de Versailles, véritable métaphore paysagère de sa toute-puissance.

Le parc de Versailles, métaphore paysagère du pouvoir royal. ▸
Plan aquarellé, par Jean Chaufourrier, 1720.

PLAN GNAL
des Chateau
et Jardins
de Versailles

Le Tartuffe et ses mises en scène

Le Tartuffe, qui causa tant d'infortune à son créateur, est aussi la pièce du répertoire la plus jouée à la Comédie-Française : environ 3000 fois depuis sa création.

Le Tartuffe et ses mises en scène

À l'époque de Molière

À l'époque de Molière, la question de la mise en scène est secondaire dans la mesure où Molière auteur est aussi acteur et chef de troupe. Il dit ses indications scéniques. Nous en savons bien peu : devaient figurer sur la scène une table recouverte d'un tapis, deux fauteuils, deux flambeaux et une batte, attribut farcesque de l'Arlequin de la *commedia dell'arte**. Le peu de décor et d'ameublement se justifiait par une scène encombrée au XVIIe siècle par les spectateurs de qualité. Dans une mise en espace de ce fait limitée, le costume en revanche attirait les regards. Celui de Tartuffe nous est décrit par Molière lui-même, « *gueux* » en 1664, « *faux riche* » en 1669.
Molière jouait le rôle d'Orgon, Armande Béjart celui d'Elmire, Du Croisy celui de Tartuffe, Béjart celui de Madame Pernelle. L'emploi* d'Elmire que tenait Armande était celui de la « grande coquette* ». L'embonpoint de Du Croisy disait la fausse dévotion de Tartuffe, l'emploi de valet qu'il avait l'habitude de tenir classait socialement le personnage. Le rôle travesti de Madame Pernelle joué

* *Cf.* Lexique.

par Béjart, reconnaissable à sa claudication, soulignait son caractère intraitable. Orgon enfin, était un personnage grotesque, placé en son centre. Le registre du *Tartuffe ou l'Hypocrite* de 1664 était donc comique. L'est-il resté au fil du temps ?

À l'époque contemporaine

Qu'est devenu le personnage de Tartuffe au cours des siècles ? Encore « *gros et gras* » en 1879 en la personne du comédien Eugène Silvain, à la sensualité habile, proche d'une caricature de Daumier ; il a échangé son « *teint fleuri* » pour le teint blême de Louis Seigner. Sorti du Théâtre Français en 1923, il a pris un accent auvergnat avec Lucien Guitry au théâtre de Vaudeville. 1951 consacre sa duplicité : est-il le croyant torturé par ses démons intérieurs de Louis Jouvet ou le « *cagot trempé d'eau bénite* » de Fernand Ledoux, celui-là même qui déchaîna la cabale des dévots de 1664 ? Qu'en conclure sinon à l'infinie possibilité de jeu qu'offre le personnage pour la bonne raison, affirme Louis Jouvet qu'« *une œuvre classique est une pièce d'or qui n'a jamais fini de rendre la monnaie* ! »

À retenir

À chacun son Tartuffe
Tartuffe demeure protéiforme et toujours « neuf » suivant les acteurs.

Le metteur en scène
« Le texte est fixé, mais il ne fixe pas la représentation. »
H. Gouhier, *L'Essence du théâtre*.

Soit ! mais depuis le début du XXe siècle, le travail du metteur en scène et sa lecture de la pièce jouent un rôle capital dans sa réception.

Plusieurs mises en scène, tout en gardant leur originalité propre, se rejoignent pour souligner les conséquences désastreuses de la relation Orgon-Tartuffe sur l'équilibre familial. Le dévouement d'Orgon à Tartuffe respectait à l'époque de Molière l'obéissance préconisée par Saint-François de Sales à son directeur de conscience. Mais leur relation appelle plusieurs lectures. Qu'elle soit homosexuelle comme le soulignait en 1964 la mise en scène de Roger Planchon ou que la soumission d'Orgon à Tartuffe ne soit qu'un moyen inavouable pour lui de tyranniser les siens comme le pense Michel Vinaver en 2002, elle constitue un ressort dramatique essentiel du *Tartuffe* : sans l'aveuglement obsessionnel d'Orgon, l'imposteur fut demeuré un gueux et n'eut pas mis en péril la famille. Autrement dit : soyons vigilants ! Gardons notre libre arbitre !

Témoignages

Écoutons pour terminer les paroles de deux metteurs en scène du *Tartuffe*. Le premier, Louis Jouvet, met l'accent sur l'universalité « classique » de la pièce de Molière, tandis que le second, Jean-Pierre Vincent, en souligne la portée civique et satirique.

Louis Jouvet (1887-1951). Directeur du théâtre de l'Athénée, il montera la plupart des pièces de Giraudoux ainsi que plusieurs de Molière qui feront date, notamment *L'École des femmes, Dom Juan, Tartuffe*... Dans *Témoignages sur le théâtre*, Louis Jouvet s'interroge : « *Pourquoi j'ai monté Tartuffe ?* »

« *Pourquoi ai-je monté* Tartuffe ? *Comme pour* Dom Juan, *c'est une question que je ne m'étais jamais posée avant qu'on me la propose. (...)*

Et le Pourquoi j'ai monté Tartuffe ? *n'a d'autre réponse que dans la définition du théâtre : une tentative de distraction, de compréhension, d'effusion. (Une pièce n'est pas un pamphlet, une diatribe, ou un factum. Il faut le dire justement à propos de* Tartuffe *: elle est avant tout une provocation généreuse et bienfaisante.)*

"L'art de l'homme de théâtre est de rester dans l'humain."

"L'immuabilité du théâtre, l'immuabilité des sentiments humains, des sujets humains, des thèmes humains : ils sont éternels."

Ce qu'est un imposteur (le romancier) Georges Bernanos va le dire :

"Je ne crois pas aux imposteurs depuis que j'ai écrit L'Imposture, *ou du moins je m'en fais une idée bien différente [...]. Il y a belle lurette que je ne prends plus l'imposture pour un simple travesti, l'imposteur pour un cabotin qui va de temps en temps renouveler sa garde-robe chez le fripier. L'imposteur et l'imposture ne font qu'un, il y a une fatalité sous l'imposture. Si l'imposteur n'était tel, il ne serait ni vrai ni faux, il ne serait rien, il défend son imposture comme sa vie, car elle est, en effet, sa vie..."*

[...] Il y a au fond de chaque être une énigme et un secret. Tartuffe pourrait nous dire : "Fourbe ! Imposteur ! Prévaricateur ! Traître ! Sacrilège ! sont les noms que vous m'avez donnés, expressions suprêmes de l'hypocrisie et du mépris. Tartuffe est le titre qui me désigne... Pourquoi ? Vous vous croyez plus purs que moi ? De quel droit veut-on me damner ? Nous n'irons pas au même Jugement. Je n'ai rien de commun avec vos désirs, votre penchant, votre conduite. Je n'ai d'existence que virtuelle ?"

Nous venons de représenter Tartuffe.

Avons-nous joué la pièce ? Avons-nous donné de cette œuvre une véritable représentation ?

L'un dira oui et l'autre non, avec des raisons qui peuvent s'échanger et s'inverser. L'un dira oui et l'autre non et ils auront raison tous les deux car on jouera encore Tartuffe *de façon différente et rien n'est définitif dans ces matières, si ce n'est la bonne foi et ce but que Molière appelait le grand art de plaire.*
"Votre Tartuffe n'est pas le mien", c'est tout ce qu'on peut dire. Au-delà de cette affirmation, il n'y a ni verdict ni condamnation possible. Au nom de quoi peut-on juger ?... Si Tartuffe ressemble à quelqu'un, il ne ressemble à personne en particulier, mais un peu à tout le monde en général. C'est pourquoi sans doute Molière a écrit cette œuvre.
Voilà pourquoi j'ai monté Tartuffe. »

Extraits de *Témoignage sur le théâtre*,
Flammarion, pp. 86-93.

Jean-Pierre Vincent. On lui doit notamment des mises en scène remarquées de Marivaux, Beaumarchais, Musset. De Molière, il montera *Les Fourberies de Scapin* dans la Cour d'honneur au festival d'Avignon de 1990, *Le Misanthrope* et *Le Tartuffe* en 1998. Dans un entretien sur sa mise en scène de la pièce, il souligne l'importance de la conscience critique de l'Histoire française dans le théâtre de Molière et sa modernité.
« *P.M. – La fin du* Tartuffe *est parfois qualifiée de "grosse brosse à reluire".*
J.-P.V. – Oui, bien sûr, il est manifeste que l'intervention de l'exempt s'apparente au deus ex machina *mais Molière aurait pu en trouver un autre et si le Roi intervient personnellement, c'est parce qu'Orgon est très haut placé financièrement, politiquement. Les papiers qui prouvent sa*

Cf. Lexique.

révolte contre le pouvoir royal, enfermés dans la cassette, sont des papiers de première importance pour la stabilité du régime Le Misanthrope se passera aussi chez des gens de la haute société tout proches de la cour de Louis XIV. La cassette est très importante pour moi parce qu'elle constitue la seule trace littéraire française de la Fronde, qui a été un événement cataclysmique de notre histoire. [...] La cassette est historique.

[...] Je considère que le théâtre sert à témoigner de l'existence et du sens de l'Histoire.

P.M. – J'en viens au rôle du monarque à proprement parler. Louis XIV a soutenu Molière. La pièce lui plaisait ?

*J.-P.V. – Molière livre une lutte sans merci contre une tendance politique précise de l'époque, une sorte d'*Opus dei *à la française qu'était la Compagnie du Saint-Sacrement. (... elle) tenait Anne d'Autriche ainsi que l'archevêque de Paris. Le Roi lui-même était en lutte contre ce parti, mais par prudence il a demandé à Molière d'attendre. Molière a essayé de trouver des biais en changeant le titre de la pièce en* Panulphe, *interdit aussi. De fait, une vraie amitié liait le Roi à Molière sans toutefois faire oublier à ce dernier que s'établissait alors sur la France un carcan, un carcan plus doré, plus agréable. [...] Il reste des traces. Le régime reste policier, en dépit de son aspect plus policé, comme l'atteste l'intervention finale de l'exempt, un lieutenant de gendarmerie, du corps royal de gendarmerie, mais de gendarmerie tout de même.*

P.M. – Pourquoi jugez-vous la lutte de Molière décisive pour la modernité ?

J.-P.V. – Nous sommes très redevables à Molière. Je pense que nous vivons encore sur la solution qui a été adoptée par le pouvoir en France, à l'avènement de Louis XIV, pendant les luttes postérieures à la Fronde. Il s'agit d'un pouvoir imposé, centraliste, qui manifeste l'aspect curial du monarque, persistant sous De Gaulle et Mitterrand : il existe un rapport amoureux entre le monarque républicain et le peuple qui s'est structuré vraiment autour du jeune Louis XIV, au milieu du XVIIe *siècle. Dès ce moment, nous sommes à l'orée de la modernité. La France a alors rendez-vous avec elle-même, comme plus tard au moment de la Révolution de 1789, puis de celle de 1848, au moment de la guerre de 1914. Et c'est là-dedans que se débat Molière, là qu'il nous entraîne ».*

"Et Tartuffe... ?

(suite de *Témoignages sur le théâtre*)

Tartuffe pourrait nous dire :

Oublie ce que tu sais de moi ou ce que tu crois savoir, ce qu'on t'a appris ou ce que tu as cherché à connaître : tout est nouveau.

Chaque fois je suis différent; pour chaque génération, d'innombrables effigies, des milliers de figuration, toutes dissemblables par leur visage, leur costume, leur voix, sont sorties de moi.

Chaque fois qu'on me lit, qu'on m'écoute ou qu'on joue, je suis un Autre.

Ne cherche pas à me reconnaître...

Ne prends pas parti. [...]" »

Témoignages sur le théâtre, pp. 88-90.

« Je n'ai d'existence que virtuelle. »
Caricature d'Eugène Silvain, Tartuffe au Français, par Rouveyre, 1879.

Lexique d'analyse littéraire

Amant Qui éprouve de l'amour. Au XVIIe siècle, le mot implique un sentiment et non des relations physiques.

Antagonisme Conflit entre deux personnages.

Aparté Dans une pièce de théâtre, parole prononcée par l'un des acteurs pour lui-même et pour le public; les autres acteurs sont censés ne pas l'entendre.

Argument Raison avancée par celui (celle) qui parle pour justifier sa thèse logique, par déduction ou par induction; d'autorité, faisant référence au jugement d'une personne dont la compétence est jugée incontestable; il peut être d'ordre analogique, par rapprochement d'idées.

Baroque À l'origine, perle de forme irrégulière (*barroco*, en portugais). Courant littéraire (1580-1660) qui se caractérise par son goût de l'exubérance, de l'étrangeté, du mouvement et de l'éphémère, jouant sur l'être et le paraître.

Caractère Série conventionnelle de traits de comportement qui permettait de classer le personnage parmi les types connus: l'avare, l'hypocrite…

Caricature Procédé qui consiste à ridiculiser quelqu'un en forçant le trait.

Casuistique Étude des cas de conscience, c'est-à-dire de la façon dont, dans chaque circonstance particulière, doivent être appliquées les lois générales de la morale et de la religion; désigne péjorativement l'art de masquer sa mauvaise foi par de fausses subtilités.

Catastrophe Événement décisif qui amène le dénouement d'une pièce de théâtre.

Champ lexical Ensemble de mots relevant d'un même domaine de signification.

Comédie À l'origine, toute pièce de théâtre; au XVIIe siècle, pièce de théâtre dont l'intrigue met en scène des personnages de petite condition et souvent stéréotypés. Elle se termine heureusement et provoque le rire.

Comédie d'intrigue Comédie dont le charme réside surtout dans la complication de l'action, soumise à des événements extérieurs.

Comique Principe du rire dans la comédie.

Commedia dell'arte Genre de comédie né en Italie dans la deuxième moitié du XVIe siècle: le texte demeure un canevas sur lequel les comédiens improvisent. Ses personnages correspondent à des types reconnaissables à leur costume et à leur masque comme Arlequin, Colombine ou Scapin. Elle vise à divertir en usant du comique tant de gestes que de mots.

Contrepoint Art de composer de la musique en superposant les lignes mélodiques; motif secondaire qui se superpose à quelque chose en ayant une réalité propre.

Coquette (grande) Emploi de la comédienne qui peut jouer les grands rôles de femme dans la comédie de caractères ou de mœurs.

Critique Examen d'une œuvre ou d'un système d'idées, afin d'y porter un jugement.

Dénouement Il présente l'aboutissement de l'action et fixe le sort des personnages.

Dépit amoureux Titre d'une pièce de Molière et nom d'une situation entre des amoureux de comédie qui se querellent par suite d'un malentendu, au point de rompre pour finalement se réconcilier.

Deus ex machina Intervention d'un personnage extérieur à l'intrigue à l'image des dieux qui, dans le théâtre antique, arrivaient sur scène grâce à une machinerie pour régler la situation.

Didascalies Indications de mise en scène, tacites, destinées à informer les lecteurs et metteurs en scène sur le nom des personnages, le décor, les gestes, les entrées et sorties de scène, le ton de la voix.

Dramaturge Auteur d'une pièce de théâtre.

Drame Action d'une pièce de théâtre.

Dramatique Qui concerne l'action et la fait évoluer.

Éloge Discours qui a pour but de vanter les mérites, les qualités de quelqu'un ou de quelque chose.

Emplois Série des rôles du répertoire qui présentent des caractères communs d'une pièce à l'autre.

Énonciation Désigne l'acte de communiquer avec autrui et la situation dans laquelle l'échange se produit.

Éponyme Qui donne son nom à quelqu'un ou quelque chose.

Explicite Qui est verbalement ou gestuellement exprimé.

Exposition (scène d') Première scène d'une pièce de théâtre donnant des informations sur le temps et le lieu de l'action, et sur la situation des personnages.

Farce Pièce comique, d'abord intercalée dans les représentations des mystères au XVe siècle. Elle met en scène une situation plaisante, au comique grossier, se limitant aux situations, gestes et mots.

Générique Qui appartient à un genre littéraire donné.

Hyperbole Figure de style qui déforme la vérité en l'exagérant.

Indice énonciatif Mot ou expression qui précisent les conditions de communication.

Ironie Forme de moquerie fondée sur une mise à distance du mot ou de l'expression employés.

Locuteur Celui qui parle.

Modalité Mot qui désigne le type d'une phrase : déclarative, exclamative, interrogative…

Motif Élément thématique récurrent dans une œuvre.

Mythe Récit fabuleux d'origine populaire et spontanée qui a un sens symbolique; idéalisation d'un phénomène ou d'une figure qui exerce une fascination sur la pensée collective.

Pamphlet Écrit généralement bref et indigné qui attaque un système, une institution, une personne.

Paradoxe 1° Énoncé contraire à l'opinion commune. 2° Rapprochement de mots ou d'idées ordinairement opposés.

Parodie Transposition comique qui détourne une œuvre artistique ou littéraire de son sens initial. Elle s'opère par exagération ou par dévalorisation des propos comme des gestes.

Pathétique Qui provoque l'émotion et la souffrance.

Péripétie (coup de théâtre) Retournement de situation inattendu, exclu des scènes d'exposition et de dénouement, étranger à l'action des héros dont il modifie la situation et change la volonté.

Point de vue Manière propre à chacun d'aborder une question.

Polémique Belliqueux.

Polysémique Qui a plusieurs sens.

Portrait Présentation d'une personne ou d'un personnage par autrui ; au XVIIe siècle, divertissement très prisé par les précieuses.

Protagoniste Héros de l'action.

Quiproquo Malentendu au théâtre qui résulte d'une méprise sur une personne ou une chose.

Récurrent Qui se répète.

Registre Emprunté au vocabulaire musical, le mot désigne en littérature l'impression particulière que produit un texte sur la sensibilité du lecteur (registre comique, pathétique…).

Réplique Échange de paroles entre les différents personnages, de petite ou moyenne longueur.

Rime pour l'œil Effet de rime visuel.

Satire Écrit littéraire attaquant les vices ou les ridicules d'une époque.

Sotie Pièce bouffonne qui se livre le plus souvent à une satire violente, morale et politique de la société, et dont les personnages sont allégoriques (idées incarnées par le personnage).

Stichomythie Dialogue où les personnages se répondent vers à vers.

Symbole Figure de style de substitution, représentation concrète d'une notion abstraite.

Thème 1° Au sens large, ce dont parle un texte. 2° Dans un texte, élément qui se répète.

Tirade Longue réplique développée sous la forme d'un discours suivi fondé sur un thème unique.

Ton Manière de s'exprimer propre à un genre.

Tonalité Impression d'ensemble suscitée par un texte.

Tragédie Œuvre dramatique en vers.

Tragique Qui inspire terreur et pitié ; le personnage est prisonnier d'une situation qui l'anéantit.

Type Personnage dans lequel peuvent se reconnaître un grand nombre de personnes auxquelles il sert de modèle.

Vaudeville Jusqu'au XIXe siècle, comédie coupée de couplets ; fin XIXe, comédie légère, sans couplets, construite sur une situation amusante (le triangle mari-femme-amant(e)).

Vraisemblance Action qui suit un déroulement normal et accord des caractères avec les actions que l'on attend d'eux.

Bibliographie, discographie, filmographie, Internet

Bibliographie

Pour connaître Molière

– René Bray, *Molière, homme de théâtre*, Paris, Mercure de France, 1954.
– Mikhaïl Boulgakov, *La vie de monsieur de Molière*, Laffont, 1999.
– Mme Dussane, *Un Comédien nommé Molière*, Plon, 1936.
– René Jasinski, *Molière*, Hatier, « Connaissance des lettres », 1969.

Pour mieux connaître *Le Tartuffe*

– Jean-Pierre Collinet, *Lectures de Molière*, « U2 », Paris, A. Colin, 1974.
– Maurice Descôtes, *Les Grands Rôles du théâtre de Molière*, Paris, PUF, 1950.
– Gérard Ferreyrolles, *Études littéraires : Le Tartuffe de Molière*, PUF, 1987.
– Louis Jouvet, *Témoignages sur le théâtre*, Paris, Flammarion, 1952.
– Jacques Schérer, *Structures du Tartuffe*, Paris, SEDES, 1974.
– *La Lettre sur la comédie de l'Imposteur* (écrit anonyme, 1667).

Pour une approche du XVIIe siècle

– Paul Bénichou, *Morales du Grand Siècle*, « Folio essais », 1988.
– La Bruyère, *Les Caractères*, « De la mode », Paris, Le Livre de Poche, 1985.
– Jacques Schérer, *La Dramaturgie classique en France*, Nizet, 1950.
– Jean-Claude Tournand, *Introduction à la vie littéraire du XVIIe siècle*, Bordas, 1970.

– F. Bluche, *La Vie quotidienne au siècle de Louis XIV*, Paris, Hachette, 1984.

Discographie

– 3 disques Pathé-Marconi C.P.T.A. 312, 313, 314 (Louis Seigner, Annie Ducaux, Lise Delamare).
– 3 disques encyclopédie sonore 320, E 850, 851 (Fernand Ledoux, Michel Bouquet, Sophie Desmarests). Auvidis/Hachette 1989.
– 1 disque Adès IS30 LA549 (Louis Jouvet, Monique Mélinand), extraits.

Filmographie

Sur *Le Tartuffe*

– *Herr Tartuff*, de Friedriech Wilhem Murnau en 1925.
– *Le Tartuffe* de Molière tourné en 1984 par Gérard Depardieu d'après la mise en scène au TNS de Jacques Lassalle.

Sur la mise en scène, plus spécifiquement du *Tartuffe*

– Dix ans avec *Le Tartuffe* par Roger Planchon (en collaboration, avec le CNDP, rue d'Ulm et le théâtre de Villeurbanne 69100).
– *Au Soleil même la nuit*, vidéocassette AGAT Films & Cie, 1997 (travail de mise en scène par Ariane Mnouchkine).

Et si vous faisiez un petit tour sur la toile ?

– www.comedie-francaise.fr
– www.bnf.fr (cliquer sur département « arts du spectacle »)
– www.scd.univ-parisIII.fr (fonds de la bibliothèque Gaston-Baty)

Crédits photographiques

Conception graphique
Couverture : *Laurent Carré*
Intérieur : *ELSE*

Mise en page
Alinéa

Achevé d'imprimer en Italie par Rotolito Lombarda
Dèpôt lègal : Août 2009 - Collection n°63 - Edition 07
16/8537/9